Learning Shona

Dambudzo Ruzhowa

Published by HarperCollins Publishers
P.O. Box UA 201
Union Avenue
Harare
Zimbabwe

© 1997

ISBN 1-77904-017-2

Cover design and illustrations by Rowan Phillips

Typeset by TextPertise (Pvt.) Ltd., Harare
Print production by Ann Blair Marketing (Pvt.) Ltd., Harare

contents

acknowledgements

Thank you to everyone who has helped me to compile this book, and who put up with me constantly talking about it. In particular there are some people who deserve a special mention. Adella Khaviya, Merciline Murape and John Townsend at the VSO field office in Harare were very accommodating to me and my piles of paper in front of their computers. A big thank you goes to Caroline Jones and Jojo for their emotional support and encouragement.

I'm grateful to Steve Morris, Natsai Mushandu and David Groombridge for their valuable suggestions and comments on the book's content. Baba Kudumba spent a lot of his precious time reviewing the material from a teacher's point of view. David Zivengwa helped to clarify a few vital grammatical points. Paul Hill prepared many of the prototypes for the cartoons.

I must not forget to mention the efforts of Judith and Jerry Bower, and the rest of my family, as they struggled to find compatible computers between Zimbabwe and England. Finally, the untiring patience of Roger Stringer needs to be mentioned – for his ability to knock the whole thing into shape, put up with my ceaseless questions about the publication process, and to keep in contact with me, wherever I am!!

To all of the above, plus many many more I haven't named, what more can I say except NDATENDA!

Kune shamwari dzangu dziri kwaMudzamiri: Ndinokutendai chaizvo nokuti makandidzidzisa chiKaranga. Makandibatsira nokundichengeta zvakanaka. Tichazoonana kana mwari achida.

Dambudzo Ruzhowa
May 1997

introduction

Current material available for learning Shona as a second language seems to fall broadly into one of two categories. Some books provide a very brief introduction to the grammar and then present lists of words and phrases, while the second category of books delve deeply into language structure and tone. This book aims to fit between the two, and presents Shona in a logical, structured and, hopefully, non-frightening way. After working through it, the reader should be able to express ideas and communicate in Shona, but won't have had to struggle in order to get there.

The reader is presented initially with some basic vocabulary and common phrases. The greetings are also introduced at this stage because they are very important in Shona culture. This should provide a means of basic communication while you are learning the language! Shona pronunciation is also outlined.

The reader is then led through the grammatical structures. Each chapter is arranged as follows:
  ➡ explanation of language structure
  ➡ examples
  ➡ translation exercises
  ➡ reading passages and dialogues for practice
  ➡ answers to exercises and translations of passages

With each structure, new vocabulary is given. As you progress through the book, it is assumed that you will have learned words previously introduced. The vocabulary provided includes commonly used words and those considered useful to most people. There are occasional phrases or constructions which are considered to be useful but cannot be covered in an introductory book such as this. In these cases, you are advised simply to learn the phrase for now and, hopefully, you'll feel encouraged to take the language further and work out the construction later.

The exercises and practice dialogues have been written to fit within the vocabulary provided. They are not purely for academic practice but they come from real-life conversations I had with people or that I overheard. There are also two vocabulary lists at the end of the book: Shona–English and English–Shona. There are regional dialects and some words may not be common in your area. Also some people may quibble that there are words included which are not 'pure Shona', e.g.: *hofisi* for 'office'. However, this is Shona as it is spoken and as you will hear it!

I hope that the exercises and reading passages given will prove useful and relevant. The passages can be read through time and again, in groups or alone, for maximum benefit. They could even be read aloud, for pronunciation practice. The chapters do not represent one lesson or one sitting. You will cover some sections fairly quickly, while others will take longer.

Miscellaneous Language sections contain information throughout the book concerning groups of words, regardless of grammatical structure. For example, an outline of commonly used prefixes and suffixes, lists of slang words, days of the week, etc.

Since this book is intended for people who live or who intend to live in Zimbabwe, I have included a few items to increase cultural awareness. They were chosen mainly from situations in which people commonly find themselves. Several books on Shona culture are available for the reader who wants to take this subject further.

pronunciation

Shona is a relatively easy language to pronounce because vowel sounds do not alter from word to word. The spelling easily indicates how the word sounds. All words end in a vowel.

Vowel	Pronunciation
a	as in cat
e	as in egg
i	as in big
o	as in hot
u	as in who

All vowel sounds are pronounced, although it may seem that, in some cases, vowels are slurred together. For example, *ai* is pronounced *ayi*, *ue* as *uwe*, and *oo* as *o-o* (not as in too!).

When the unified Shona orthography was first compiled, in 1931, the International Phonetic Alphabet was used. This has one character for each sound. Standard Shona Spelling was introduced in 1955, using 23 of the roman letters (excluding l, q and x) plus clusters of consonants to represent sounds not found in English. Some of these clusters are not pronounced as in English. For example *dy* is pronounced 'jg'. It is difficult to explain on paper how to make sounds which involve the tongue and mouth adopting different positions from those commonly found in European languages. With practice, and by speaking and listening to Shona speakers, you will learn how to make each sound. Below is a list of some common consonant clusters which don't sound as they look.

Consonants	Pronunciation
dy	jg
ty	chk
pw	pch ('ch' as in loch)
sv	similar to 'sh'
tsv	similar to 'ch' (as in chop)
zh	as 's' in treasure
zv	similar to 's' in treasure
bw	bch ('ch' as in loch)

Shona is a tonal language, with high and low tones. For example, *ambuya* means either grandmother (high tone on *u*) or elder woman (high tone on *a*). It would be too great a task to try to teach the tones this introductory text. As you hear Shona spoken and learn to speak it, you will pick up the tonalities without noticing. Meanwhile you will usually be understood from the context of what you are saying. In most words, the stress falls on the penultimate syllable.

Shona words

An interesting aspect of the structure of Shona words is that they are built up from smaller units. For example, *tinokupai*, 'we give you (*pl.*)', is made up from the following units:

ti-	=	we (subject)
-no-	=	present tense marker
-ku-	=	you (object)
-pa	=	give
-i	=	plural/respect

At first this may seem complicated, but once you have had some practice the various units will become obvious. Shona grammar is straightforward: once the structure of how to form a certain tense is learned, all verbs follow the same pattern. The only exceptions to the rule are the verbs 'to be' and 'to have'.

pronouns

The basic pronouns are:

ini	I	*isu*	we
iwe	you (*s.*)	*imi*	you (*pl.*)
iye	s/he	*ivo*	they

The following pronoun prefixes are important to learn by heart as they are attached to the verb stem when constructing sentences:

Present/Future tenses				**Past tenses**			
ndi-	I	*ti-*	we	*nda-*	I	*ta-*	we
u-	you (*s.*)	*mu-*	you (*pl.*)	*wa-*	you (*s.*)	*ma-*	you (*pl.*)
a-	s/he	*va-*	they	*a-*	s/he	*va-*	they

In Shona, respect is shown to older people or to people in authority by the use of the plural forms of the pronouns, i.e. *mu-*, *ma-* and *va-*, rather than *u-*, *wa-* and *a-*.

Possessive pronouns and object pronouns are dealt with in Chapters 13 and 14.

verbs

Infinitives are of the form: *ku* + verb stem

e.g.: **ku** + *famba*	**kufamba**	to travel/walk
	kuenda	to go
	kuona	to see
	kubuda	to emerge/go out
	kutaura	to speak/talk

In dictionaries, usually only the **verb stem** is given, e.g.:

-famba	*-enda*	*-ona*	*-buda*	*-taura*

Note that all verb stems end in *-a*. Prefixes relating to the tense and the pronoun are added to the verb stem when sentences are constructed.

prefixes and suffixes

Shona words are built up by adding prefixes and suffixes. Some useful ones are:

ne-/na-/no-	with/at/and [interchangeable]
ku-/kwa-	to/from/at [interchangeable]
mu-	in
pa-	at/on
-wo	also/please
-po	here

Where several options are given, e.g. *ku-/kwa-*, the decision as to which one to choose usually depends on which sounds better with the following word. If the following word has a vowel as the first letter (e.g.: *imba*, house) then this is lost (elided) when a prefix is used.

e.g.:	*kumba*	to/from the house (*ku* + *imba*)
	mumba	in the house (*mu* + *imba*)
	pamba	at the house (*pa* + *imba*)

na- changes according to the type of word it is joined to. As a rough guide, look at the first vowel of the joined word. If it is *i* use *ne-*; if it is *u*, use *no-*; otherwise, use *na-*. There are some exceptions to this rule, but a detailed explanation is beyond the scope of this book.

noun classes

Shona nouns are divided into classes. Each noun class has its agreements. These agreements are prefixes that are placed in front of the word describing the noun. This is bewildering at first, if you are not used to the idea.

Basically, it explains why people say *vasikana vatatu* (three girls) but *mabhazi matatu* (three buses) or *mombe nhatu* (three cattle). It is more important to learn vocabulary and tense structures first and then, once you have grasped that, the noun classes can be learned. By that time you will probably have picked up some of the agreements already. (Note that the adjective is placed after the noun.)

As I explain in Chapter 12, you can still communicate easily without getting the agreements 100 per cent correct. Thus they are not introduced early on in this book. Meanwhile, adjectives used before Chapter 12 have the noun they agree with (in brackets) in the new vocabulary introduced for that chapter.

singular and plural

In English, a plural is formed by adding -s to the end of a noun. In Shona, plurals are formed by adding or changing a prefix in front of the noun. The prefix used is determined by the class of the noun. Although you will pick up noun-class agreements with experience, here is a rough guide to start you off:

➡ Nouns for people usually start with *mu-* in the singular, e.g.: *murume* (man), and start with *va-* in the plural, e.g.: *varume* (men).

➡ Non-human nouns starting with *mu-* in the singular, e.g.: *muti* (tree), start with *mi-* in the plural, e.g.: *miti* (trees).

➡ Nouns beginning with *b, d, g* or *j* (often words "borrowed" from other languages), e.g.: *bhuku* (book), are prefixed by *ma-* in the plural, e.g.: *mabhuku* (books). The initial letter may change, e.g.: *gore* (year) to *makore* (years).

➡ Nouns beginning with *chi-* in the singular, e.g.: *chigaro* (chair), start with *zvi-* in the plural, e.g.: *zvigaro* (chairs).

➡ Some nouns are the same in both their singular and plural forms, e.g.: *shamwari* (friend/friends). For these, the noun-class agreement of accompanying words, such as adjectives, will indicate whether the singular (*i-/ya-*) or plural (*dzi-/dza-*) form is intended.

There are many exceptions to these rules, because Shona nouns are not classified according to the above criteria. However, if you "guess" according to the above guidelines, you are certain to be correct most of the time, so use them as a basis upon which to build your experience!

Singular	Example	Class	Plural	Example	Class
mu- (people)	*murume* man	1	*va-*	*varume* men	2
mu- (not people)	*muti* tree	3	*mi-*	*miti* trees	4
starts with b, d, g, j*	*bhuku* book	5	*ma-*	*mabhuku* books	6
chi-	*chigaro* chair	7	*zvi-*	*zvigaro* chairs	8

*The initial letter may change, e.g.: *gore* (year) to *makore* (years).

terms of address

For men, the prefix *Va-* is used, e.g.: *VaSvosve* (Mr Svosve).

There are two ways of addressing women. In a more formal situation – for example, a work colleague – *Amai* is used, e.g.: *Amai Marufu* (Mrs/Ms Marufu). If a woman has children, then, in an informal setting, she is called after the name of her first-born child, e.g.: *Mai Abisai* (Mother of Abisai).

greetings

These are very important in Shona culture. When people meet, they greet each other formally before having a conversation. In a shop, or even on the phone, it is polite to ask the other person how they are before asking for what you want. (Literal translations are given here to help with learning the language.)

vocabulary

mangwanani	morning	*-fara*	be happy
masikati	afternoon	*-simba*	be strong
manheru	evening, night	*upenyu*	life
-swera	spend the day	*musha*	home [rural]
-muka	wake, get out of bed	*-pinda*	enter
-rara	sleep, lie down	*-svika*	arrive
mhoroi	hello	*-tambira*	receive, accept
kwaziwai	hello, greetings	*nani*	be OK, better
chisarai	goodbye	*-sara*	remain, stay behind

read and practise

Taona and Chiedza greet each other [literal translations given].

A Mornings (*Note:* There are regional differences)

TAONA: *Mangwanani.*   TAONA: Good morning.
CHIEDZA: *Mangwanani.*   CHIEDZA: Good morning.

In ChiKaranga:

TAONA: *Mamuka sei?* (or: *Mamuka here?*) TAONA: How did you wake?
CHIEDZA: *Ndamuka mamukawo.*   CHIEDZA: I woke if you woke.
TAONA: *Ndamuka.*   TAONA: I woke.

In ChiZezuru:

TAONA: *Marara sei/here?*   TAONA: How did you sleep?
CHIEDZA: *Ndarara mararawo.*   CHIEDZA: I slept if you slept.
TAONA: *Ndarara.*   TAONA: I slept.

B Afternoons

TAONA: *Masikati.* TAONA: Good afternoon.
CHIEDZA: *Masikati.* CHIEDZA: Good afternoon.
TAONA: *Maswera sei?* (or: *Maswera here?*) TAONA: How did you spend the day?
CHIEDZA: *Ndaswera maswerawo.* CHIEDZA: I spent it if you spent it.
TAONA: *Ndaswera.* TAONA: I spent it.

C Evenings

TAONA: *Manheru.* TAONA: Good evening.
CHIEDZA: *Manheru.* CHIEDZA: Good evening.
TAONA: *Maswera sei?* (or: *Maswera here?*) TAONA: How did you spend the day?
CHIEDZA: *Ndaswera maswerawo.* CHIEDZA: I spent it if you spent it.
TAONA: *Ndaswera.* TAONA: I spent it.

D Other occasions If you meet someone for the first time, or if you haven't seen them for a long time, it is appropriate to say:

TAONA: *Mhoroi.* (or: *Kwaziwai.*) TAONA: Hello.
CHIEDZA: *Mhoroi.* (or: *Kwaziwai.*) CHIEDZA: Hello.
TAONA: *Makadii?* TAONA: How are you?
CHIEDZA: *Ndiripo makadiwo.* CHIEDZA: I am here if you are here.
TAONA: *Ndiripo.* TAONA: I am here.

saying goodbye

TAONA: *Ndava kuenda. Chisarai.* TAONA: I'm going now. Goodbye.
CHIEDZA: *Mufambe/Fambai zvakanaka.* CHIEDZA: Go well.
TAONA: *Musare/Sarai zvakanaka.* TAONA: Stay well.
CHIEDZA: *Tichaonana.* CHIEDZA: We will see each other (again).

question words

chii?	what?	*ani?*	who?
sei?	how?	*nemhaka yei?*	why?
kupi?	where?	*mangani?*	how many?
rini?	when?	*here?*	[found at the end of some questions]

some useful words

handei	let's go	*zvakanaka*	good, OK
kuti	that [as in "I know that . . ."]	*makorokoto*	congratulations
saka	so, therefore	*ndatenda, mazviita*	thank you
nokuti	because	*pasi*	on the ground
zvakare	again	*pano*	[at] here
ko	tell me	*pamusoroi*	excuse me
futi	also	*aiwa, kwete*	no
o, oyi	here, take this	*ehe, hongu*	yes

some useful phrases

When you have completed this book, you will understand how these phrases are constructed. For now, simply learn them in order to start communicating!

Munobva kupi?/Munobvepi?	Where are you from?
Ndinobva ku . . .	I'm from . . .
Muri kuenda kupi?/Munoendepi?	Where are you going?
Ndiri kuenda ku . . .	I'm going to . . .
Inguvai? Dzava . . .	What time is it? It's . . .
Munoda chii?/Munodei? Ndinoda . . .	What do you want? I want [some] . . .
Imarii? Inoita . . .	How much is it? It costs . . .
Munonzi ani? Ndinonzi . . .	What is your name? My name is . . .
Mati chii? Ndati . . .	What did you say? I said . . .
Kure kwakadii? Kune makilometa . . .	How far is it? It's . . . kilometres.
Mune makore mangani? Ndine . . .	How old are you? I'm . . .

Munobva kupi? Ndinobva kuChiredzi

further greetings

TAONA: *Gogogoi!*
CHIEDZA: *Pindai!*

TAONA: Knock-knock!
CHIEDZA: Come in!

TAONA: *Tisvikewo.*
CHIEDZA: *Svikai.*

TAONA: May we arrive?
CHIEDZA: Arrive.

TAONA: *Titambire.*
CHIEDZA: *Tambirai.*

TAONA: Let us take your things.
CHIEDZA: Take them.

TAONA: *Munofara here?*
CHIEDZA: *Ndinofara. Munofara here?*
TAONA: *Ndinofara.*

TAONA: Are you happy?
CHIEDZA: I am happy. Are you happy?
TAONA: I am happy.

TAONA: *Makasimba here?*
CHIEDZA: *Ndakasimba makasimbawo.*
TAONA: *Ndakasimba.*

TAONA: Are you well/strong?
CHIEDZA: I am well if you are well.
ONE: I am well.

TAONA: *Hwakadii hupenyu?*
CHIEDZA: *Hupenyu hwakanaka/huri nani.*

TAONA: How is life?
CHIEDZA: Life is good/OK.

TAONA: *Kwakadii kumusha?*
CHIEDZA: *Kumusha kwakanaka/kuri nani.*

TAONA: How are things at home?
CHIEDZA: At home things are good/OK.

TAONA: *Kanjani.*
CHIEDZA: *Mushi.*

TAONA: Hello. [*slang*]
CHIEDZA: Fine. [*slang*]

TAONA: *Ndinofara kukuonai/kukuzivai.*
CHIEDZA: *Neniwo, ndinofara kukuonai/kukuzivai.*

TAONA: I am happy to see/know you.
CHIEDZA: And I am happy to see/ know you.

1 present tense

present pronoun + *no* + verb stem

e.g.: *ndi* + ***no*** + *da*

*ndi**no**da*	I want/like
*u**no**dzidzisa*	you (*s.*) teach
*a**no**gara*	he stays/lives
*ti**no**dya*	we eat
*mu**no**bika*	you (*pl.*) cook
*va**no**tengesa*	they sell

vocabulary

chikoro	school (pl. *zvikoro*)	*-penga*	be crazy, mad
chitoro	shop, store (pl. *zvitoro*)	*dovi*	peanut butter
-bva	come (away) from	*mwana*	child (pl. *vana*)
-puta	smoke	*sadza*	maize meal porridge
netsoka	by foot (*ne* + *tsoka*)		[staple food]
-tenga	buy	*musikana*	girl (pl. *vasikana*)
bhora	ball, soccer	*chiRungu*	English language
-pedza	finish	*chingwa*	bread
-tamba	play, dance	*Mai, Amai*	Mother
muriwo	vegetables	*bhanana*	banana (pl. *mabhanana*)
tii	tea	*basa*	work
-nzi	be called, named	*-posita*	post
-farira	be pleased, like to do	*tsamba*	letter
	something	*sitambi*	stamp (pl. *masitambi*)
ndipeiwo	please give me		

exercises

A Translate into English
i) *Ndinobika.*
ii) *Vanoenda kuchikoro.*
iii) *Mai vanotenga dovi.*
iv) *Vana vanoda tii.*
v) *Ndinogara kwaGutu.*
vi) *Munobva kuUSA here?*
vii) *Beatrice anodya sadza.*
viii) *Unoputa here?*
ix) *Tinoenda kuchitoro.*

B Translate into Shona
i) S/he dances.
ii) They speak English.
iii) The girl sells bananas.
iv) We like to eat vegetables.
v) You (*pl.*) live in Zimbabwe.
vi) I want (some) bread.
vii) Phil is crazy!
viii) Where do they come from?
ix) Who do you (*s.*) go to school with? [*Lit.* You go to school with whom?]

read and practise

1

Ini ndinonzi Ben. Ndinogara kwaChadzamira. Ndinodzidzisa chiRungu kuvana. Ndinoda kutamba bhora. Mangwanani ndinomuka na-6. Ndinofamba kuchikoro netsoka. Ndinopedza basa na-4. Ndinotenga chingwa muchitoro. Manheru ndinobika sadza nomuriwo. Ndinorara na-9.

2

JONASI: *Masikati.*
MURUME: *Masikati.*
JONASI: *Ndinoda kuposita tsamba kuUK. Ndinoda kutenga masitambi.*
MURUME: *Munoda masitambi mangani?*
JONASI: *Ndipeiwo masitambi 2.*
MURUME: *Oyi.*
JONASI: *Ndatenda.*
MURUME: *Zvakanaka.*

answers/translations

Exercise A
i) I cook.
ii) They go to school.
iii) Mother buys some peanut butter. [NB showing respect]
iv) The children like tea.
v) I live in Gutu.
vi) Do you come from USA?
vii) Beatrice eats sadza.
viii) Do you smoke?
ix) We go to the shop.

Exercise B
i) *Anotamba.*
ii) *Vanotaura chiRungu.*
iii) *Musikana anotengesa mabhanana.*
iv) *Tinofarira kudya muriwo.*
v) *Munogara muZimbabwe.*
vi) *Ndinoda chingwa.*
vii) *Phil anopenga!*
viii) *Vanobva kupi?*
ix) *Unoenda kuchikoro naani?*

Read and practise – 1

My name is Ben. I live at Chadzamira. I teach English to the children. I like to play football. In the morning I wake at six. I walk to school. I finish work at four. I buy bread in the shop. In the evening I cook sadza with vegetables. I sleep at nine.

Read and practise – 2

JONASI: Good afternoon.

MAN: Good afternoon.

JONASI: I want to post some letters to UK. I want to buy some stamps.

MAN: How many stamps do you want?

JONASI: Please give me two stamps.

MAN: Here you are.

JONASI: Thank you.

MAN: OK.

the totem – mutupo

Every person has a totem.
This is a family name passed down via the Father.
It is believed that totems originated as a way of preventing close
family units from inter-marrying. Two people of the same totem
may not marry each other unless a special ceremony to
appease the spirits of the ancestors is conducted.

These days, even though two people have the same totem,
they are probably not related. One great advantage of totems
is that if you travel to another part of the country,
there is a high likelihood that you will meet someone
of the same totem – a "family" member.

Totems are usually animals or parts of the body, e.g.:

mbizi	zebra
shumba	lion
moyo	heart
gumbo	leg
mbeva	mouse

clapping hands

When people meet they usually shake hands first and
then clap their hands together when greeting.

Men clap with palms
and fingers together:

Women clap with one
hand across the other:

People also clap hands at other times:

➡ before receiving something (especially a gift)
➡ when thanking someone
➡ before starting to eat
➡ after everyone has finished eating

At times, people click the fingers of their right hand
before receiving something.

2 recent past tense

There are two ways of saying something in the past tense,
depending on when it happened. Recent past happened today.

past pronoun + verb stem

e.g.: *nda + svika*

*nda*svika	I arrived
*wa*mhanya	you (*s.*) ran
*a*nyora	s/he wrote
*ta*dya	we ate
*ma*verenga	you (*pl.*) read
*va*uya	they came

vocabulary

bhuku	books (pl. *mabhuku*)	*kuna . . .*	to [name of person]
-wana	find	*murume*	man, husband (pl.
-ziva	know		*varume*)
-ita	do	*nebhazi*	by bus (*ne + bhazi*)
tese	together	*mvura*	water
-nwa	drink	*motokari*	car
-guta	be satisfied	*Baba*	Father
-nonoka	be late	*mugwagwa*	road
-pa	give	*shamwari*	friend
		mukomana	boy (pl. *vakomana*)

exercises

A Translate into English
  i) *Ndanwa mvura.*
 ii) *Vapa $2.00.*
iii) *Tabuda mumba na-7.*
 iv) *Mafamba nebhazi.*
  v) *Tawana mabhuku.*
 vi) *Waenda kuChiredzi.*
vii) *Mapedza basa here?*
viii) *Mai naBaba vaenda mangwanani.*

B Translate into Shona
  i) They were late.
 ii) Pemola arrived at ten.
iii) We went to the shop.
 iv) The men (have) finished [the]
      work.
  v) I saw Mr Tembo.
 vi) You (*pl.*) wrote a letter.
vii) The boy stayed at home.
viii) Did you (*s.*) walk [*lit.* come by foot]?

read and practise

VIMBAI: *Shamwari wanonoka.*
STEVE: *Ndinoziva. Ndanonoka kumuka.*
VIMBAI: *Waita chii?*
STEVE: *Ndamhanya kumugwagwa. Ndaona VaMashoko. Tauya tese nemotokari.*
VIMBAI: *Wadya here?*

STEVE: *Aiwa. Ndinoda tii.*
VIMBAI: *O. Ndatenga chingwa.*
STEVE: *Zvakanaka. Ndinodawo chingwa. Wapedza basa here?*
VIMBAI: *Ehe, ndapedza. Ndanyorawo tsamba kuna John.*
STEVE: *Zvakanaka. Ndapedza tii. Ndaguta.*

answers/translations

Exercise A

 i) I drank water.
 ii) They gave two dollars.
 iii) We left home at seven.
 iv) You travelled by bus.
 v) We found the books.
 vi) You went to Chiredzi.
 vii) Have you finished the work?
 viii) Mother and Father went in the morning.

Exercise B

 i) *Vanonoka.*
 ii) *Pemola asvika na-10.*
 iii) *Taenda kuchitoro.*
 iv) *Varume vapedza basa.*
 v) *Ndaona VaTembo.*
 vi) *Manyora tsamba.*
 vii) *Mukomana asara kumusha.*
 viii) *Wauya netsoka here?*

Read and Practise

VIMBAI: My friend, you are [*lit.* were] late.
STEVE: I know. I woke late.
VIMBAI: What did you do?
STEVE: I ran to the road. I saw Mr Mashoko. We came together by car.
VIMBAI: Have you eaten?
STEVE: No, I want some tea.
VIMBAI: Here, I bought some bread.
STEVE: Good, I want some bread also. Did you finish your work?
VIMBAI: Yes, I finished it. I also wrote a letter to John.
STEVE: Good. I've finished (my) tea. I am [*lit.* have been] satisfied.

3 future tense

future pronoun + *cha* + verb stem

e.g.: *ndi* + ***cha*** + *ziva*

*ndi**cha**ziva*	I will know
*u**cha**tora*	you (*s.*) will take
*a**cha**pinda*	s/he will enter
*ti**cha**tambira*	we will receive
*mu**cha**uya*	you (*pl.*) will come
*va**cha**fara*	they will be happy

vocabulary

mukaka	milk	*mukadzi*	woman, wife (pl. *vakadzi*)
-dzokera	return (to there)		
chikafu	food	*ranji*	lunch
newe	with you	*taundi*	town
-tsvaga	look for	*firimu*	film
chiteshi	station	*vhiki*	week (pl. *mavhiki*)
mangwana	tomorrow	*rinouya*	next (week)
-onana	see each other	*chitima*	train
nhasi	today	*bhasikoro*	bicycle (pl. *mabhasikoro*)
bepanhau	newspaper	*chiShona*	Shona language
pamwe	maybe	*rinonzi*	named, called [of a film]
kune	there is		

exercises

A Translate into English
  i) *Ndichaenda kwaGutu mangwana.*
 ii) *Vachauya masikati.*
iii) *Tichaona Great Zimbabwe vhiki rinouya.*
 iv) *Uchagara pano.*
  v) *Sam achatenga mukaka.*
 vi) *Ndichaenda newe kuPost Office.*
vii) *Tichaonana mangwana.*
viii) *Achataura newe.*
 ix) *Ndichabika sadza.*

B Translate into Shona
  i) I will write a letter.
 ii) We will eat lunch in town.
iii) They will come from Masvingo.
 iv) Andy will travel by bicycle.
  v) You (*s.*) will teach Shona.
 vi) Will you (*pl.*) come again?
vii) Fanuel will finish work (in the) evening.
viii) When will the women return to the school?

read and practise

Ndinofara nhasi. Ndatambira tsamba kubva kuna Rosalia. Achauya mangwana. Achafamba nechitima kubva kuBulawayo. Ndichaenda kuchiteshi nemotokari. Tichadzokera kumba na-3. Ndichatenga chikafu masikati. Ndichatsvaga mabhanana nokuti ndinoziva kuti anoda mabhanana. Pamwe tichaenda tese kufirimu manheru. Ndaverenga mangwanani mubepanhau kuti kune firimu rinonzi Neria *mutaundi.*

answers/translations

Exercise A

i) I will go to Gutu tomorrow.
ii) They will come in the afternoon.
iii) We will see Great Zimbabwe next week.
iv) You will stay here.
v) Sam will buy some milk.
vi) I will go with you to the Post Office.
vii) We will see each other tomorrow.
viii) S/he will speak to [*lit.* with] you.
ix) I will cook sadza.

Exercise B

i) *Ndichanyora tsamba.*
ii) *Tichadya ranji mutaundi.*
iii) *Vachabva kuMasvingo.*
iv) *Andy achafamba nebhasikoro.*
v) *Uchadzidzisa chiShona.*
vi) *Muchauya zvakare here?*
vii) *Fanuel achapedza basa manheru.*
viii) *Vakadzi vachadzokera kuchikoro rini?*

Read and practise

I am happy today. I received a letter from Rosalia. She will come tomorow. She will travel by train from Bulawayo. I will go to the station by car. We will return home at three. I will buy some food this afternoon. I will look for some bananas because I know that she likes bananas. Maybe we will go together to a film in the evening. I read in the paper this morning that the film *Neria* is in town.

4 to have and to be (A)

present tense	
to have **present pronoun** + *ne*	**to be** **present pronoun** + *ri*

ndine	I have	*ndiri*	I am
une	you (*s.*) have	*uri*	you (*s.*) are
ane	s/he has	*ari*	s/he is
tine	we have	*tiri*	we are
mune	you (*pl.*) have	*muri*	you (*pl.*) are
vane	they have	*vari*	they are

vocabulary

panze	outside	*munhu*	person (pl. *vanhu*)
nyota	thirst	*imbwa*	dog
bho	OK (*slang*)	*mari*	money
nzara	hunger	*mbudzi*	goat
juzi	jersey, sweater	*chinyoreso*	pen, pencil

exercises

A Translate into English
  i) *Ndiri pano.*
 ii) *Vanhu vari mumba.*
iii) *Tiri kuGokwe.*
 iv) *Vana! Muri kupi?*
  v) *Uri bho here?*
 vi) *Ndine nzara.*
vii) *Melania ane bhuku.*
viii) *Tine motokari.*
 ix) *Vane imbwa pamba.*
  x) *Shamwari, une nyota here?*

B Translate into Shona
  i) We are at school.
 ii) They are outside with the
     children.
iii) Mapfumo is at the shop.
 iv) You (*pl.*) have a goat.
  v) We have bread today.
 vi) Anna and Rhoda are hungry [*lit.*
     have hunger].
vii) I have (some) money.
viii) Do you (*s.*) have a jersey?
 ix) I am at home today.

answers/translations

Exercise A

i) I am here.

ii) The people are in the house.

iii) We are at Gokwe.

iv) Children! Where are you?

v) Are you OK? [*slang*]

vi) I am hungry.

vii) Melania has a book.

viii) We have a car.

ix) They have a dog at home.

x) (My) friend, are you thirsty?

Exercise B

i) *Tiri kuchikoro.*

ii) *Vari panze navana.*

iii) *Mapfumo ari kuchitoro.*

iv) *Mune mbudzi.*

v) *Tine chingwa nhasi.*

vi) *Anna naRhoda vane nzara.*

vii) *Ndine mari.*

viii) *Une juzi here?*

ix) *Ndiri kumba nhasi.*

using the right hand

As in many cultures, the right hand is used for eating. This is especially important to remember when sharing a bowl of food with others.

Bread, meat, etc., which needs to be pulled apart, may be held in the left hand, but the right hand is used to put the food into your mouth.

Notice also that people use their right hand when giving or receiving something.

5 present continuous tense

present pronoun + *ri ku* + verb stem		
e.g.: *ndi* + *ri ku* + *dzidza*	**ndiri ku**dzidza	I am learning
	uri kunyora	you (*s.*) are writing
	ari kusara	s/he is staying behind
	tiri kugeza	we are bathing
	muri kudya	you (*pl.*) are eating
	vari kudzoka	they are returning (here)

vocabulary

-chera	scoop, collect (liquid)	*firiji*	fridge, refrigerator
upfu	mealie-meal	*bhegi*	bag
-takura	carry	*domasi*	tomato (pl.
-pfeka	wear, put on		*madomasi*)
chokwadi	truth	*-mira*	stand, wait
-gadzira	mend, make, tidy	*vangu*	my (children)
ambuya	grandmother, old	*mudhudhudhu*	motorbike
	woman	*rokwe*	dress, skirt
rwizi	river	*bota*	porridge
-wacha	wash (clothes)	*ndava kuenda*	I am going [stative]
mbatya	clothes	*vakamira*	they are waiting
-nyepa	tell lies		[stative]
-perekedza	accompany	*chinhu*	thing (pl. *zvinhu*)

exercises

A Translate into English
  i) *Vana vari kutamba.*
 ii) *Rameck ari kudzidza science.*
iii) *Ndiri kuita basa.*
 iv) *Ari kugadzira mudhudhudhu.*
  v) *Tiri kuenda kuHarare mangwana.*
 vi) *Muri kunyepa.*
vii) *Uri kutaura chokwadi here?*
viii) *Mirirai ari kuchera mvura.*
 ix) *Ndiri kutsvaga kumba
     kwaMuzinda.*

B Translate into Shona
  i) She is bathing.
 ii) We are walking to the shop.
iii) They are buying mealie-meal.
 iv) I am selling tomatoes.
  v) You (*s.*) are wearing a dress.
 vi) What are you (*pl.*) drinking?
vii) The child is sleeping.
viii) The girl is writing a letter.

read and practise

1

RUDO: *Gogogoi!*

MAI TENDAI: *Pindai!*

RUDO: *Mangwanani, Mai Tendai.*

MAI TENDAI: *Ah! Mangwanani, Rudo. Wamuka sei?*

RUDO: *Ndamuka mamukawo.*

MAI TENDAI: *Ndamuka. Wauya nhasi.*

RUDO: *Hongu, ndauya. Ndiri kutsvaga Tendai. Ari pano here?*

MAI TENDAI: *Aiwa. Ari parwizi. Ari kuwacha mbatya.*

RUDO: *Ho? Ndichaenda kurwizi.*

MAI TENDAI: *Zvakanaka. Ndiri kubika bota. Une nzara here?*

RUDO: *Hongu. Ndichamhanya kuna Tendai. Ndiri kudzoka. Ndinoda bota.*

MAI TENDAI: *Zvakanaka. Pamwe Tendai anoda kudya futi.*

2

TADIOS: [*Apinda muchitoro.*] *Mhoroi.*

MUTENGESI: *Mhoroi.*

TADIOS: *Makadii?*

MUTENGESI: *Ndiripo makadiwo.*

TADIOS: *Ndiripo. Ndiri kutsvaga mukaka. Mune mukaka here?*

MUTENGESI: *Hongu. Tine mukaka mufiriji.*

TADIOS: *Zvakanaka. Ndinodawo chingwa. Ndipeiwo mukaka nechingwa. Ndiri kuenda kumusha masikati.*

MUTENGESI: *Muri kuenda sei?*

TADIOS: *Ndiri kuenda nebhazi. Ndiri kuperekedza vana vangu. Vachasara naAmbuya. Ndichadzoka mangwana.*

MUTENGESI: *Zvakanaka. Muchatakura zvinhu sei? Mune bhegi here?*

TADIOS: *Aiwa. Ndipeiwo bhegi. Ndava kuenda. Vana vakamira panze.*

MUTENGESI: *Fambai zvakanaka.*

TADIOS: *Ndatenda. Sarai zvakanaka.*

[*Tadios abuda muchitoro.*]

answers/translations

Exercise A

i) The children are playing.

ii) Rameck is learning science.

iii) I am doing some work.

iv) S/he is mending the motorbike.

v) We are going to Harare tomorrow.

vi) You are lying.

vii) Are you speaking the truth?

viii) Mirirai is fetching water [e.g. from a well]

ix) I am looking for Muzinda's house.

Exercise B

i) *Ari kugeza.*

ii) *Tiri kufamba kuchitoro.*

iii) *Vari kutenga upfu.*

iv) *Ndiri kutengesa madomasi.*

v) *Uri kupfeka rokwe.*

vi) *Muri kunwa chii?*

vii) *Mwana ari kurara.*

viii) *Musikana ari kunyora tsamba.*

Read and Practise – 1

RUDO: Knock, knock!

MAI TENDAI: Come in!

RUDO: Good morning, Mai Tendai.

MAI TENDAI: Ah! Good morning, Rudo. How are you?

RUDO: I am fine. How are you?

MAI TENDAI: I am fine. You have come today.

RUDO: Yes, I have come. I am looking for Tendai. Is she here?

MAI TENDAI: No. She is at the river. She is washing the clothes.

RUDO: Oh? I will go to the river.

MAI TENDAI: OK. I am cooking porridge. Are you hungry?

RUDO: Yes. I will run to Tendai. I am returning. I want some porridge.

MAI TENDAI: Good. Maybe Tendai wants to eat also.

Read and Practise – 2

TADIOS: [Entered a shop.] Hello.

SHOPKEEPER: Hello.

TADIOS: How are you?

SHOPKEEPER: I am well. How are you?

TADIOS: I am well. I am looking for some milk. Do you have milk?

SHOPKEEPER: Yes. We have some milk in the fridge.

TADIOS: Good. I also want some bread. Please give me bread and milk. I am going home this afternoon.

SHOPKEEPER: How are you going?

TADIOS: I am going by bus. I'm accompanying my children. They will stay with (their) Grandmother. I will return tomorrow.

SHOPKEEPER: Good. How will you carry the things? Do you have a bag?

TADIOS: No. Please give me a bag. I must go. The children are waiting outside.

SHOPKEEPER: Travel well.

TADIOS: Thank you. Stay well.

[Tadios left the shop.]

negative questions

Try to avoid asking a negative question because the answer can cause a lot of confusion. The answer is the opposite of what is expected in English:

e.g.: You are not coming then?   Yes [*I'm not coming*]
                                   No [*I am coming*]

You haven't studied this part? Yes [*we haven't*]
                               No [*we have*]

6 imperatives

verb stem

If you are talking to more than one person or showing respect,
the word ends in -i

e.g.: *nyarara* be quiet (*s.*) *garai* sit (*pl.*)
       pinda enter (*s.*) *kasirai* hurry up (*pl.*)

If the verb stem has only one syllable, *i*- is put in front of it

e.g.: *i + bva* *ibva* come away from (*s.*)
       ipa give (*s.*)
       idyai eat (*pl.*)

vocabulary

-cheka	cut	-chema	cry/weep
muti	tree (pl. *miti*)	ugare	(and) sit down
moto	fire	fafitera	window
manje	now (*slang:* soon)	kuno	(to) here
-isa	put	ruoko	hand (pl. *maoko*)
-tarisa	look at	wangu	my (child)
-vhura	open	mudzidzisi	teacher (pl. *vadzidzisi*)
doro	beer	kicheni	kitchen
dhiringi	soft drinks (pl. *madhiringi*)	-teerera	listen to
utengere	(and) buy		

exercises

A Translate into English
 i) *Tarisa Eliot – ari kumhanya!*
 ii) *Vana! Uyai kuno!*
 iii) *Teererai zvakanaka ku mudzidzisi.*
 iv) *Pfeka zvakanaka.*
 v) *Ibvapo!*
 vi) *Ah! Wauya! Pinda ugare.*

B Translate into Shona
 i) Please open (*s.*) the window.
 ii) Buy (*s.*) some beer.
 iii) Speak (*pl.*) Shona.
 iv) Go (*pl.*) into the shop and buy (some) drinks.
 v) Go [travel] (*pl.*) to Chimanimani by car.
 vi) Go (*s.*) to school.
 vii) Please be quiet (*pl.*) because she is outside.

[*Tiri kumba kwaVaChinyama mangwanani.*
Keshius ari panze. Ari kuchema.]

KESHIUS: *Amai! Ndine nzara.*
MAI: *Uya kuno mwana wangu.*
Ndichabika tii.
[*Keshius anopinda mukicheni.*]
MAI: *Wageza maoko here?*
KESHIUS: *Aiwa.* [*Anobuda mukicheni.*
Anogeza maoko anodzoka.]
Ndageza Mai.

MAI: *Zvakanaka. Gara pasi. O.*
Cheka chingwa. Kudzi ari kupi?
KESHIUS: *Ari kutamba pamuti.*
MAI: *Kudzi!*
KUDZI: *Mai?*
MAI: *Tiri kubika tii. Unoda tii here?*
KUDZI: *Ehe. Ndiri kuuya.* [*Anogeza*
maoko anopinda mukicheni.]
MAI: *Isa mvura pamoto Kudzi.*
Tichanwa tii manje manje.
KUDZI: *Zvakanaka Mai.*

answers/translations

Exercise A
i) Look at Eliot – he is running!
ii) Children! Come here!
iii) Listen carefully to the teacher.
iv) Dress properly.
v) Go away! [*lit.* Come away from here.]
vi) Ah! You have come! Come in and sit down.

Exercise B
i) *Vhurawo fafitera.*
ii) *Tenga doro.*
iii) *Taurai chiShona.*
iv) *Pindai muchitoro utengere madhiringi.*
v) *Fambai kuChimanimani nemotokari.*
vi) *Enda kuchikoro.*
vii) *Nyararaiwo nokuti ari panze.*

Read and Practise

[We are at the house of Mr Chinyama in the morning. Keshius is outside. He is crying.]

KESHIUS: Mother! I'm hungry.
MOTHER: Come here my child.
I will prepare [*lit.* cook] some tea.
[Keshius enters the kitchen.]
MOTHER: Have you washed (your) hands?
KESHIUS: No. [He goes out of the kitchen. He washes his hands and returns.]
I have washed, Mother.
MOTHER: Good. Sit down. Here.
Cut the bread. Where is Kudzi?
KESHIUS: She is playing by the tree.
MOTHER: Kudzi!
KUDZI: Mother?
MOTHER: We are preparing tea.
Do you want some tea?
KUDZI: Yes. I'm coming.
[She washes her hands and enters the kitchen.]
MOTHER: Put the water on the fire, Kudzi. We will drink tea shortly.
KUDZI: OK, Mother.

respect

People earn respect by virtue of their age or social status.
When you are talking to someone you should respect, place yourself
at a lower level than them. Thus, if an old person is sitting down,
you will see people crouch down or kneel when greeting and
talking to them.

For this reason, you will notice that some people sit in a chair
on entering an office before being asked to do so.

If a group of people are sharing a meal, the dish of water
for washing hands will usually go to the oldest
(and thus most repected) person first.
Visitors are also respected, and the children come last.
Men are given their food first, before women.

If a respected person says something that others
disagree with, people will tend to keep quiet.
They will probably simply ignore what the
person has said rather than try to change
their mind.

Contradicting a
respected person can
cause problems
even though
many people
may agree
with your
sentiments.

Remember to use the plural pronouns when respect is needed:
mu = you   *va* = s/he

7 negative present tense

ha + present pronoun + verb stem + *i*
(NB. The last letter of the verb stem changes to *i*.)

In the Manyika dialect, the structure is:

ha + present pronoun + verb stem + *e*

e.g: **ha** + *ndi* + *d* + *i*	**ha**ndidi	I don't like [-*da* becomes -*d*]
	haufambi	you don't walk
	haafungi	s/he doesn't think/hope
	hatinyori	we don't write
	hamuoni	you (*pl.*) don't see
	havasevenzi	they don't work

vocabulary

-nzwa	hear/feel	*inodhura*	it is expensive [of sugar] (verb = -*dhura*)
chete	only		
chaizvo	very, a lot, too	*wachi*	watch
handina	I don't have	*nyama*	meat
mazuva ano	these days	*hofisi*	office
-gona	be able	*nhema*	lie (*s.* and *pl.*)
shuga	sugar		

exercises

A Translate into English

i) *Handinwi doro. Ndinonwa mvura chete.*

ii) *Havadyi nyama.*

iii) *Hamutauri chiShona.*

iv) *Hatibiki sadza.*

v) *Chipo haadi vana.*

vi) *Handigoni kuuya mangwana.*

vii) *Handifungi kuti Oliver achauya nhasi.*

viii) *VaHakireni vanogara kupi? Handizivi.*

B Translate into Shona

i) We don't go to school.

ii) I think that you (*s.*) don't like reading [*lit.* to read].

iii) They don't drink milk.

iv) Mike doesn't work here these days.

v) I don't buy sugar because it is too expensive.

vi) She doesn't like to hear lies.

read and practise

VaMoyo: *Kwaziwai.*
David: *Kwaziwai.*
VaMoyo: *Makadii?*
David: *Ndiripo makadiwo.*
VaMoyo: *Ndiripo. Munobva kuGermany here?*
David: *Aiwa. Handibvi kuGermany. Ndinobva kuBritain.*

VaMoyo: *Munogara kuBulawayo here?*
David: *Aiwa Handigari kuBulawayo. Ndinogara kuGweru.*
VaMoyo: *Munodzidzisa here?*
David: *Aiwa handidzidzisi. Ndinosevenza muhofisi. Ah! Inguvai? Pamwe ndanonoka.*
VaMoyo: *Handizivi. Handina wachi.*

answers/translations

Exercise A

   i) I don't drink beer. I only drink water.
  ii) They don't eat meat.
 iii) You (*pl.*) don't speak Shona.
  iv) We don't cook sadza.
   v) Chipo doesn't like children.
  vi) I am unable to come tomorrow.
 vii) I don't think that Oliver will come today.
viii) Where does Mr Hakireni live? I don't know.

Exercise B

   i) *Hatiendi kuchikoro.*
  ii) *Ndinofunga kuti haudi kuverenga.*
 iii) *Havanwi mukaka.*
  iv) *Mike haasevenzi pano mazuva ano.*
   v) *Handitengi shuga nokuti inodhura chaizvo.*
  vi) *Haadi kunzwa nhema.*

Read and Practise

Mr Moyo: Hello.
David: Hello.
Mr Moyo: How are you?
David: I'm well; how are you?
Mr Moyo: I'm well. Do you come from Germany?
David: No, I don't come from Germany. I come from Britain.

Mr Moyo: Do you live in Bulawayo?
David: No, I don't live in Bulawayo. I live in Gweru.
Mr Moyo: Do you teach?
David: No, I don't teach. I work in an office. Ah! what time is it? Maybe I'm late.
Mr Moyo: I don't know. I don't have a watch.

8 remote past tense

Events that happened yesterday or before.

past pronoun + *ka* + verb stem

e.g.: *nda* + *ka* + *ona*

ndakaona	I saw
wakamira	you (*s.*) waited
akatuma	s/he sent
takatanga	we started
makaseka	you (*pl.*) laughed
vakaburuka	they disembarked

vocabulary

maviri apera	two (weeks) past/ ago	*mutambo*	a party
		rekodhi	(LP) record
rakapera	last (week, year)	*gore*	year
-pera	be finished	*-kwira*	board, climb
yangu	my (friend)	*-naka*	be good
-neta	be tired	*zororo*	holiday
metsi	maths	*vazhinji*	many (people)
nezuro	yesterday	*mupunga*	rice
mwedzi	month	*huku*	chicken
usiku	night	*wakapera*	last (month)

exercises

A Translate into English

i) *Liza akatenga rokwe nezuro.*

ii) *VaMakusha vakaenda kuBasera vhiki rakapera.*

iii) *Ndakatengesa motokari kuna Jonah.*

iv) *Makatanga kusevenza rini?*

v) *Takagadzira mumba.*

vi) *Ndakatuma Ishmael kwaGuzha.*

vii) *Wakaita chii pazororo?*

viii) *Vakavhura chitoro mwedzi wakapera.*

B Translate into Shona

i) I played football at school.

ii) She taught mathematics.

iii) We went with Jim to Kariba last year.

iv) They bought (some) rice yesterday.

v) Did you speak to Basilio?

read and practise

Mavhiki maviri apera ndakaenda kumusha. Shamwari yangu akaita mutambo.
Ndakakwira bhazi paMbare. Takafamba zvakanaka. Ndakaburuka paGuzha.
Ndakafamba kumba netsoka. Ndakasvika pausiku. Ndakaneta saka ndakarara
zvakanaka.

Mangwanani ndakamuka na-6. Ndakapfeka. Tsitsi akauya kumba.
Takaenda tese kumutambo. Takasvika takaona vanhu vazhinji. Takapinda
mumba. Takadya mupunga nehuku. Takanwa doro. Takatambawo marekodhi.
Takaseka nokuti takafara. Takanonoka kudzokera kumba.

answers/translations

Exercise A

i) Liza bought a dress yesterday.
ii) Mr Makusha went to Basera last week.
iii) I sold the car to Jonah.
iv) When did you start working?
v) We tidied (in) the house.
vi) I sent Ishmael to Guzha.
vii) What did you do in the holiday?
viii) They opened the shop last month.

Exercise B

i) *Ndakatamba bhora kuchikoro.*
ii) *Akadzidzisa metsi.*
iii) *Takaenda naJim kuKariba gore rakapera.*
iv) *Vakatenga mupunga nezuro.*
v) *Wakataura kuna Basilio here?*

Read and practise

Two weeks ago I went home. My friend had a party. I boarded the bus at
Mbare. We travelled well. I disembarked at Guzha. I walked to the house.
I arrived at night. I was tired so I slept well.

In the morning I woke at six. I got dressed. Tsitsi came to the house.
We went together to the party. (When) we arrived we saw a lot of people.
We went into the house. We ate rice with chicken. We drank beer. We also
danced to records. We laughed because we were happy. We returned home late.

stative forms

This looks like the past tense but it describes a state that one is in now.
The meaning depends on the context of the verb in the sentence.

e.g.: **Ndaneta** — I am tired.   **Waguta here?** — Are you satisfied?
Akagara — S/he is seated.   **Tafara** — We are happy.
Ndava kuenda — I am now going.   **Zvakanaka** — That is good.

Note that only verbs which describe a state or situation can be used in
this way. For instance, *mafamba* (you walked) is an action not a state.

9 negative past tense

This applies to both the recent and remote past.

ha + present pronoun + na   ku + verb stem
Note that the pronoun here is the same as in the present tense.

e.g.: **ha + ndi + na ku + taura**

handina kutaura	I didn't speak
hauna kufamba	you (s.) didn't travel
haana kuseka	s/he didn't laugh
hatina kunzwa	we didn't hear/feel
hamuna kubvunza	you (pl.) didn't ask
havana kutora	they didn't take

vocabulary

-shaya	fail to find	asi	but
-batsira	help	mhuri	family
-shanyira	visit	-zorora	rest
-sakura	cultivate, weed	hazvina mhosva	no problem
sekuru	grandfather	-ronga	arrange
garaji	garage	-sanganana	meet each other
nguva	time	fodya	tobacco, cigarettes
mamwe	some (days)	rakawanda	a lot (work)
yakanaya	it rained	ese	all, every
zuva	day, sun (pl. *mazuva*)	munda	field (pl. *minda*)
nzungu	groundnuts	basa rekumba	homework

exercises

A Translate into English
- i) *Hauna kuuya kubasa nezuro.*
- ii) *Vakomana havana kuona Sekuru.*
- iii) *Handina kuziva kuti unogara pano.*
- iv) *Hatina kuenda kuSweden pazororo.*
- v) *Hamuna kunyora basa rekumba nemhaka yei?*
- vi) *Ray haana kutenga fodya nhasi.*
- vii) *Havana kupinda mumba.*
- viii) *Hatina kutora doro kumutambo.*

B Translate into Shona
- i) We didn't travel well last month.
- ii) They didn't help Mr Nyemba to fetch the water.
- iii) I didn't eat the groundnuts.
- iv) Judy didn't read the letter.
- v) You (*pl.*) didn't arrive this morning.

read and practise

1

TARISAI: *Ko, shamwari, watenga mukaka kwaGutu here nhasi?*

GARIKAI: *Aiwa. Handina kutenga mukaka.*

TARISAI: *Nemhaka yei?*

GARIKAI: *Handina kuwana nguva.*

TARISAI: *Hazvina mhosva. Ndichatenga mukaka mangwana. Waenda naVongai here?*

GARIKAI: *Handina kuenda naVongai. Nezuro takaronga kuti tichasanganana pagaraji asi haana kusvika.*

TARISAI: *Ho? Pamwe asara kumba nokuti ashaya mari.*

GARIKAI: *Ho? Handina kuziva. Ndafunga kuti wanonoka kumuka.*

2

Pazororo handina kuenda kutaundi. Ndakasara kumusha nemhuri. Takaita basa rakawanda mumunda. Mvura yakanaya chaizvo saka takafara. Hatina kusakura mazuva ese. Mamwe mazuva takazorora mumba. Takashanyirawo shamwari. Handina kunyora tsamba kuna Felix saka haana kuziva kuti ndiri kupi.

answers/translations

Exercise A

i) You didn't come to work yesterday.

ii) The boys didn't see Grandfather.

iii) I didn't know that you stay here.

iv) We didn't go to Britain in the holiday.

v) Why didn't you write the homework?

vi) Ray didn't buy any cigarettes today.

vii) They didn't enter the house.

viii) We didn't take any beer to the party.

Exercise B

i) *Hatina kufamba zvakanaka mwedzi wakapera.*

ii) *Havana kubatsira VaNyemba kuchera mvura.*

iii) *Handina kudya nzungu.*

iv) *Judy haana kuverenga tsamba.*

v) *Hamuna kusvika mangwanani.*

Read and Practise – 1

TARISAI: Tell me, (my) friend, did you buy (some) milk in Gutu today?

GARIKAI: No, I didn't buy any milk.

TARISAI: Why?

GARIKAI: I didn't have [*lit.* find] time.

TARISAI: Never mind. I will buy some milk tomorrow. Did you go with Vongai?

GARIKAI: I didn't go with Vongai. Yesterday we arranged to [*lit.* that we will] meet at the garage but she didn't arrive.

TARISAI: Oh? Maybe she stayed at home because she didn't have any money.

GARIKAI: Oh? I didn't know. I thought that she woke up late.

Read and Practise – 2

In the holidays I didn't go to town. I stayed at home with the family. We did a lot of work in the fields. It rained a lot so we were happy. We did not weed every day. Some days we rested in the house. We also visited friends. I didn't write a letter to Felix, therefore he didn't know where I was [*lit.* that I am where].

saying no

In Shona culture, it is very rude to say "no" directly to someone. It is more polite to give an excuse, or to be very vague about things, in order to avoid misunderstandings. Possible excuses include:

I have eaten.	*Ndadya/Ndaguta.*
I don't have any money.	*Handina mari.*
I have a lot of work.	*Ndine basa rakawanda.*
I am married. [*male*]	*Ndakaroora.*
I am married. [*female*]	*Ndakaroorwa.*
I will come tomorrow. [*not definite*]	*Ndichazouya.*

It may be that you genuinely do want to postpone something rather than refuse. Be prepared for the fact that people may take your postponement as a polite but definite refusal.

10 negative imperatives

	Structure 1	Structure 2
Singular:	*usa* ⎫ + verb stem	*rega* ⎫ *ku* + verb stem
Plural:	*musa* ⎭	*regai* ⎭

Either structure may be used.

e.g.: ***usa*** + *verenga*

usa*verenga*	don't read (*s.*)
musa*uya*	don't come (*pl.*)
regai ku*simuka*	don't stand up (*pl.*)
rega ku*enda*	don't go (*s.*)
usa*nonoka*	don't be late (*s.*)

In chiZezuru, with the first structure, the final *a* of
the verb stem changes to *e*, e.g.: *usaverenge, musauye*

vocabulary

musangano	meeting	*hembe*	shirt
-siya	leave	*hove*	fish
nei	with, by what	*-kanganwa*	forget
kudhara	long ago	*chipo*	gift
ndege	airplane	*maviri*	two (hours)
awa	hour (pl. *maawa*)	*tikiti*	ticket (pl. *matikiti*)
kure	far		

exercises

A Translate into English
  i) *Regai kuverenga tsamba.*
 ii) *Usabvunza Mai Nyarai.*
iii) *Rega kunyora mubhuku.*
iv) *Regai kufamba navana.*
 v) *Musasimuka.*
vi) *Usapfeka hembe.*
vii) *Usakanganwa kuuya mangwana.*
viii) *Musachekawo miti.*

B Translate into Shona
  i) Don't (*pl.*) leave the children.
 ii) Don't (*pl.*) buy the tickets today.
iii) Don't (*s.*) drink the water.
iv) Don't (*pl.*) brew [cook] the beer.
 v) Don't (*s.*) stay at home tomorrow.
vi) Don't (*s.*) eat the fish.

read and practise

(MUNESU naTINASHE vanosanganana pabasa.)
MUNESU: *Ah! Makadzoka kubva kuzororo. Makasimba here?*
TINASHE: *Ndakasimba makasimbawo.*
MUNESU: *Ndakasimba chaizvo. Musakanganwa kuti tine musangano nhasi.*
TINASHE: *Handina kukanganwa. Ndiri kuuya.*
MUNESU: *Makadzoka rini?*

TINASHE: *Ndakadzoka kudhara.*
MUNESU: *Ho? Makafamba zvakanaka here?*
TINASHE: *Chaizvo. Takaenda kuMalawi.*
MUNESU: *KuMalawi? Makafamba nei?*
TINASHE: *Takafamba nendege.*
MUNESU: *Kure kwakadii?*
TINASHE: *Kure chaizvo. Takagara mundege maawa maviri.*
MUNESU: *Ah! Kure. Kwakadii kuMalawi?*
TINASHE: *Kuri nani.*

answers/translations

Exercise A
i) Don't (*pl.*) read the letter.
ii) Don't (*s.*) ask Mai Nyarai.
iii) Don't (*s.*) write in the book.
iv) Don't (*pl.*) travel with the children.
v) Don't (*pl.*) stand up.
vi) Don't (*s.*) put on a shirt.
vii) Don't (*s.*) forget to come tomorrow.
viii) Please don't (*pl.*) cut the trees.

Exercise B
i) *Musasiya [Regai kusiya] vana.*
ii) *Musatenga [Regai kutenga] matikiti nhasi.*
iii) *Usanwa [Rega kunwa] mvura.*
iv) *Musabika [Regai kubika] doro.*
v) *Usasara [Rega kusara] kumba mangwana.*
vi) *Usadya [Rega kudya] hove.*

Read and Practise
(MUNESU and TINASHE meet at work.)
MUNESU: Ah! You're back [*lit.* you have returned] from your holiday. Are you well?
TINASHE: I'm well. How are you?
MUNESU: I'm very well. Don't forget that we have a meeting today.
TINASHE: I haven't forgotten. I'm coming.
MUNESU: When did you return?
TINASHE: I returned a long time ago.

MUNESU: Oh? Did you travel well?
TINASHE: Very well. We went to Malawi.
MUNESU: To Malawi? How did you travel?
TINASHE: We went by plane.
MUNESU: How far is it?
TINASHE: It's very far. We were in the plane for 2 hours.
MUNESU: Ah! It's far. How is it in Malawi?
TINASHE: It's very nice.

body language

To describe a person:

mutete	thin	*mukuru*	big
mukobvu	fat	*mudiki*	small
mupfupi	short	*mutema*	black, dark
murefu	tall, long	*mutsvuku*	red, pale

Examples:

musikana mupfupi	a short girl
Robi murume mukobvu.	Robi is a fat man.
Thomasi mukomana mutete.	Thomas is a thin boy.

To describe people or to use respect, replace *mu-* with *va-*
e.g.:

Baba varefu.	Father is tall.
vanhu vakuru	big people (often: elders)

NB. The prefixes *mu-* and *va-* are used here because the adjective stems are describing people. Different prefixes are used for other nouns.

Other useful body-related vocabulary:

musana	back
zino	tooth (pl. *mazino*)
gokora	elbows (pl. *magokora*)
chidya	thigh
chiuno	waist
matumbu	intestines
bapu	lung (pl. *mapapu*)
mwoyo	heart
chiropa	liver
ropa	blood
ronda	wound

The figure illustrates parts of the body, from which the following phrases arise:

Ndine pahuro.	I have a sore throat.
Ndinonzwa musoro.	I have a headache.
Ane vhudzi rebrown.	S/he has brown hair.
Une vhudzi guru.	You have long hair.

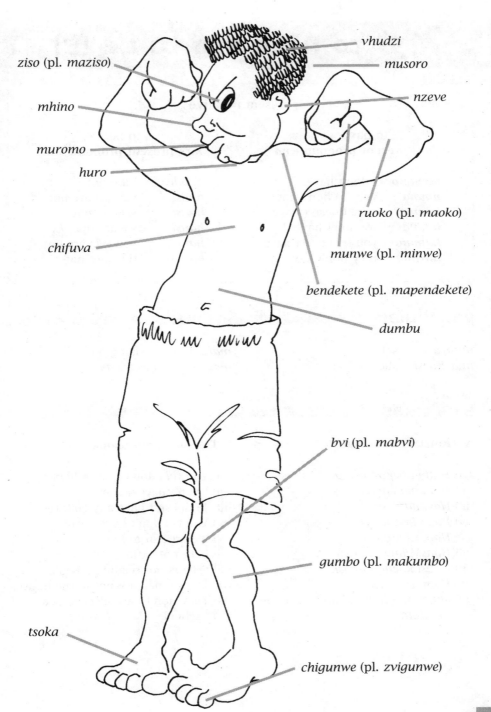

vhudzi

musoro

ziso (pl. *maziso*)

nzeve

mhino

muromo

huro

ruoko (pl. *maoko*)

munwe (pl. *minwe*)

chifuva

bendekete (pl. *mapendekete*)

dumbu

bvi (pl. *mabvi*)

gumbo (pl. *makumbo*)

tsoka

chigunwe (pl. *zvigunwe*)

11 to have and to be (B)

present negative			
to have		**to be**	
ha + present pronoun + *na*		*ha* + present pronoun + *si*	
handina	I don't have	**handisi**	I am not
hauna	you (*s.*) don't have	**hausi**	you (*s.*) are not
haana	s/he doesn't have	**haasi**	s/he is not
hatina	we don't have	**hatisi**	we are not
hamuna	you (*pl.*) don't have	**hamusi**	you (*pl.*) are not
havana	they don't have	**havasi**	they are not

vocabulary

munyu	salt	*mafuta*	cooking oil
mutengesi	shopkeeper	*magetsi*	electricity

exercises

A Translate into English

i) *Hatina bepanhau.*
ii) *Handina chinyoreso.*
iii) *Havana nzara.*
iv) *Rudo haana vana.*
v) *Handisi kufara.*
vi) *Haasi pano* [*haapo*].
vii) *Hatisi kuenda nhasi.*
viii) *Hamusi kuuya.*
ix) *Mutengesi haana munyu asi ane mafuta.*

B Translate into Shona

i) You (*pl.*) don't have a field.
ii) I don't have a shirt.
iii) Jo doesn't have any children.
iv) You (*s.*) don't have a car.
v) We are not in Buhera.
vi) I am not eating.
vii) S/he is not reading a book.
viii) The women are not in the house.
ix) They don't have electricity at school.

answers/translations

Exercise A

i) We don't have a newspaper.
ii) I don't have a pen.
iii) They are not hungry.
iv) Rudo doesn't have children.
v) I am not happy.
vi) S/he is not here.
vii) We are not going today.
viii) You (*pl.*) are not coming.
ix) The shopkeeper doesn't have any salt but s/he has cooking oil.

Exercise B

i) *Hamuna munda.*
ii) *Handina hembe.*
iii) *Jo haana vana.*
iv) *Hauna motokari.*
v) *Hatisi muBuhera.*
vi) *Handisi kudya.*
vii) *Haasi kuverenga bhuku.*
viii) *Vakadzi havasi mumba.*
ix) *Havana magetsi kuchikoro.*

Handisi kufara.

12 noun classes

Shona nouns are divided into 21 main classes.
At this stage it is not neccessary to learn all of these classes;
but to know that they exist can save a lot of confusion.
For example, pronouns and adjectives agree with the noun they qualify.
Thus, the form of a word can change, yet it has the same meaning.

Adjectives have stems, as verbs do, to which the relevant prefix is added.
Note that the adjective comes *after* the noun.

e.g.:	*-nouya*	next	*gore **ri**nouya*	next year
			*mwedzi **u**nouya*	next month
	-edu	our	*bhazi **r**edu*	our bus
			*chikoro **ch**edu*	our school
			*vana **v**edu*	our children
	-viri	two	*miti **mi**viri*	two trees
			*mazuva **ma**viri*	two days
			*zvigaro **zvi**viri*	two chairs

A list of agreements for the first eleven classes is given below.
Learning all the agreements comes with a lot of time and practice. You will
still be understood, even if your nouns and qualifiers don't always agree!
The vocabulary list at the end of this book gives the class for each noun.

Prefixes used for the first 11 noun classes

Class	Description	Adjectives	Possessive pronoun	Present subject pronoun	Object pronoun
1	(*s.*)	mu-	wa-	a-	-mu-
2	(*pl.* of Cl. 1)	va-	va-	va-	-va-
3	(*s.*)	mu-	wa-	u-	-u-
4	(*pl.* of Cl. 3)	mi-	ya-	i-	-i-
5	(*s.*)	–	ra-	ri-	-ri-
6	(*pl.* of Cl. 5)	ma-	a-	a-	-a-
7	(*s.*)	chi-	cha-	chi-	-chi-
8	(*pl.* of Cl. 7)	zvi-	zva-	zvi-	-zvi-
9	(*s.*)	–	ya-	i-	-i-
10	(*pl.* of Cl. 9 & 11)	–	dza-	dzi-	-dzi-
11	(*s.*)	ru-	rwa-	ru-	-ru-

vocabulary

-piwa, -puwa	be given	*-vhara*	close
piritsi	pill, tablet	*-rwara*	be ill
	(pl. *mapiritsi*)	*kuswera zuro*	day before yesterday
-mwe	some, one	*kiriniki*	clinic

exercises

A Translate into English

i) *Vanhu vatete.*
ii) *Miti midiki.*
iii) *Vane mwana wakanaka.*
iv) *Mabhazi anofamba pamugwagwa murefu.*
v) *Mukadzi ane mwoyo wakanaka.*

B Translate into Shona

i) I will write many letters in the evening.
ii) The children have many books.
iii) Tomatoes are expensive today.
iv) The schools opened yesterday.
v) Some people don't eat meat.

read and practise

(NATSAI *ari kuchikoro.*)
MUDZIDZISI: *Natsai, wanonoka kuuya nhasi. Nemhaka yei?*
NATSAI: *Mudzidzisi, ndinorwara.*
MUDZIDZISI: *Unonzwa chii?* [*Unonzwei?*]
NATSAI: *Ndinonzwa mudumbu.*
MUDZIDZISI: *Wadya chii nhasi?*
NATSAI: *Ndanwa tii nechingwa.*

MUDZIDZISI: *Makatanga rini?*
NATSAI: *Kuswera zuro.*
MUDZIDZISI: *Wakaenda kukiriniki here?*
NATSAI: *Hongu. Ndakapuwa mapiritsi.*
MUDZIDZISI: *Mapiritsi anonzi chii?*
NATSAI: *Handizivi, asi akapera.*
MUDZIDZISI: *Dzokera kukiriniki. Uchapiwa mamwe.*

answers/translations

Exercise A

i) Thin people.
ii) Small trees.
iii) They have a good child.
iv) The buses travel on the long road.
v) The woman is kind-hearted (*lit.* has a good heart).

Exercise B

i) *Ndichanyora tsamba dzakawanda manheru.*
ii) *Vana vane mabhuku akawanda.*
iii) *Madomasi anodhura nhasi.*
iv) *Zvikoro zvakavhura nezuro.*
v) *Vamwe vanhu havadyi nyama.*

Read and Practise

(NATSAI is at school.)

TEACHER: Natsai, you came late today. Why?

NATSAI: Teacher, I am sick.

TEACHER: What's wrong? (*lit.* What do you feel?)

NATSAI: I have a stomach ache. (*lit.* I feel my stomach.)

TEACHER: What did you eat today?

NATSAI: I had tea with bread.

TEACHER: When did it [stomach ache] start?

NATSAI: The day before yesterday.

TEACHER: Did you go to the clinic?

NATSAI: Yes. I was given some tablets.

TEACHER: What tablets are they? (*lit.* What's the name of the tablets?)

NATSAI: I don't know, but they are finished.

TEACHER: Go back to the clinic. You will be given some more.

slang

NB. These expressions should not be used when respect is required!

Kanjani?	How are you?
Mushi.	I'm fine.
Uri bho here?	Are you OK?
Ndiri bhanya/bho	I'm well.
Chii chiri kunakidza?	What's interesting?
Zvinongo daro daro.	It's merely so-so.
Ko ndeipi?	Tell me – what's up?
Inobhowa.	It's boring. [i.e.: troublesome]
Hameno.	I dunno.
dhindindi full time	full-time enjoyment
sitereki	a lot, very much
bhijana	a little bit
skhorokhoro	very old car
hobo	a lot
Ndiri shapu.	I'm fine.
tayim-tayim	soon
mbayi-mbayi	by and by

13 possessive pronouns

-ngu	my	*-idu*	our	
-ko	your (*s.*)	*-inyu*	your (*pl.*)	
-ke	his/her	*-vo*	their	

The first part of the pronoun agrees with the noun that it is referring to using the prefixes given on page 42:

e.g.:

*bhuku ra**ngu***	my book
*chigaro cha**ngu***	my chair
*bhasikoro ra**ke***	his/her bicycle
*mbudzi ya**ko***	your goat
*shamwari dze**du***	our friends

Note that for *-idu* and *-inyu*, the combination *a + i* changes to *e*, thus: *dza + idu = dzedu*

vocabulary

-tsva	be burnt			
-rwadza	be painful	*mushonga*	medicine	
mombe	cattle (*s.* and *pl.*)	*-pisa*	be hot	
maiwe-ee	[exclamation]	*-vaka*	build	
mubereki	parent (pl. *vabereki*)	*-fa*	die	
-tonhora	be cold	*imba*	house (pl. *dzimba*)	

exercises

A Translate into English
i) *Ndawana mari yangu mumba.*
ii) *Mune vana venyu here?*
iii) *Sam ari kutakura mwana wake.*
iv) *Tiri kumba kwedu.*
v) *Vakagadzira motokari yako mwedzi wakapera.*
vi) *Mombe dzavo dzakafa nenzara gore rakapera.*

B Translate into Shona
i) Their parents are in Mvuma.
ii) I saw her dress yesterday.
iii) Julius wants your (*s.*) bicycle.
iv) My husband is in the field.
v) We were given our money today.
vi) Your (*pl.*) sadza is hot.

read and practise

1

Ndine shamwari yangu. Murume
mutsvuku murefu. Ane bvudzi
rakawanda pamusoro pake.
Anofamba nemudhudhudhu wake.
Anoda kutamba neshamwari dzake.
Anoziva kuvaka dzimba dzakanaka.
Akauya kumba kwedu nezuro
neshamwari yake. Takanwa doro
ravo, asi havana kudya sadza redu.

2

FARAI: *Mai!*
MAI: *Farai?*
FARAI: *Tarisai ruoko rwangu.*
MAI: *Waita chii?*
FARAI: *Ndatsva.*
MAI: *Watsva nei?*
FARAI: *Ndatsva nemoto.*
MAI: *Moto unopisa! Isa ruoko rwako*
 mumvura inotonhora.
(*Farai anoisa ruoko rwake mumvura.*)
FARAI: *Aaa! Ruoko rwangu ruri*
 kurwadza! Maiwe-ee!
MAI: *Uya kuno mwana wangu.*
 Ndichaisa mushonga.
FARAI: *Zvakanaka Mai. Mazviita.*

answers/translations

Exercise A

i) I found my money in the house.
ii) Do you have your (*pl.*) children?
iii) Sam is carrying his child.
iv) We are at our house.
v) They mended your (*s.*) car last month.
vi) Their cattle died from the
 drought last year.

Read and Practise – 1

I have a friend. He is a pale, tall man.
He has a lot of hair on his head.
He travels on his motorbike.
He likes to play [joke] with his
friends. He knows how to build nice
houses. He came to our house
yesterday with his friend. We drank
their beer, but they didn't eat our
sadza.

Exercise B

i) *Vabereki vavo vari kuMvuma.*
ii) *Ndakaona rokwe rake nezuro.*
iii) *Julius anoda bhasikoro rako.*
iv) *Murume wangu ari mumunda.*
v) *Tapiwa mari yedu nhasi.*
vi) *Sadza renyu rinopisa.*

Read and Practise – 2

FARAI: Mother!
MOTHER: Farai?
FARAI: Look at my hand.
MOTHER: What have you done?
FARAI: I have been burnt.
MOTHER: What were you burnt by?
FARAI: I was burnt by the fire.
MOTHER: Fire is hot! Put your hand in
 some cold water.
(Farai puts his hand in the water.)
FARAI: Aaa! My hand is hurting. Ow!
MOTHER: Come here my child. I will
 put some medicine [on it].
FARAI: OK, Mother. Thank you.

14 object pronouns

These go just in front of the verb stem.

-ndi-	me	*-ti-*	us
-ku-	you (*s.*)	*-ku- . . . -i*	you (*pl.*)
-mu-	her/him	*-va-*	them

e.g: *va + **ndi** + pa*

*va**ndi**pa*	they gave me
***ndi**pe*	give me [NB. *-pa* becomes *-pe*]
*tino**ku**da*	we love you (*s.*)
*vaka**mu**bvunza*	they asked her/him
*acha**ti**batsira*	s/he will help us
*havana **ku**kuonai*	they didn't see you (*pl.*)
*uri **ku**vaudza*	you are telling them

Note that for imperatives the final *-a* of the verb stem changes to *-e*.
Object pronouns for the other noun classes are on page 42.

vocabulary

-mirira	wait for	*-yeuka*	remember
-nyorera	write to	*-donha*	fall
nyaya	story	*Vatete*	aunt
-ratidza	show	*-biwa*	be stolen
emegensi	"emergency taxi"	*-tuka*	scold
magrosari	groceries	*kana*	if, when
nzvimbo	place	*-bata*	hold
tsotsi	thief [*slang*]	*iyezvino*	now
-tengera	buy for	*idzva*	new [class 5]

exercises

A Translate into English

  i) *Musikana akandipa mvura.*
  ii) *Tavaona mangwanani.*
  iii) *Vari kukuratidza kumba kwedu.*
  iv) *Ndinofara kukuzivai.*
  v) *Unoda kumuona here?*
  vi) *Ndakamuudza vhiki yakapera kuti ndinosevenza pano.*
  vii) *Wakavayeuka here?*
  viii) *Havana kundinyorera tsamba.*

B Translate into Shona

  i) The women helped us yesterday.
  ii) I will write a letter to you (*s.*).
  iii) She will listen to you (*pl.*) now.
  iv) Do you (*pl.*) know me?
  v) Tell Francis the story.
  vi) If you (*s.*) scold her, Rita will go to her father.
  vii) Please wait for me!

read and practise

Rimwe zuva ndakaenda kuHarare. Ndakaperekedza Vatete vangu. Vakandiudza kuti vanoda kunditengera rokwe idzva nokuti mwedzi unouya ndichatanga kusevenza mubhengi.

Takaburuka bhazi Vatete vakandiudza kuti "Ndakanganwa kuti maemergensi ari kupi." Mumwe murume akatiratidza nzvimbo.

Takasvika mutaundi. Takapinda muzvitoro zvakawanda. Vatete vakayeuka kuti shamwari yavo ino-sevenza muhofisi. Vakapinda mu-hofisi vakandisiya panze ndakabata mari nemagrosari. Mari yakadonha pasi. Handina kuiona. Ndakafunga kuti mari yakabiwa netsotsi.

Vatete vakadzoka vakandiona ndiri kuchema. Vakandibvunza kuti ndaita chii? Ndakavaudza kuti hatina mari yekudzokera kumba. Vakandituka chaizvo ndakatanga kuchema zvakare.

Mukadzi akauya akatiratidza mari pasi. Takamutenda chaizvo!

answers/translations

Exercise A
i) The girl gave me some water.
ii) We saw them in the morning.
iii) They are showing you (s.) our house.
iv) I am happy to know you (pl.).
v) Do you (s.) want to see her/him?
vi) I told her/him last week that I work here.
vii) Did you (s.) remember them?
viii) They didn't write a letter to me.

Read and Practise
One day I went to Harare. I accompanied my aunt. She told me that she wanted [lit. wants] to buy me a new dress because next month I will start to work in a bank.

(When) we got off the bus, aunt said [lit. told me that], "I have forgotten where the emergency taxis are." [lit. "I have forgotten that the emergency taxis are where."] A man showed us the place.

We arrived in town. We went into many shops. Aunt remembered that her friend works in an office. She entered the office, leaving me outside holding [stative] the money and the groceries. The money fell on the ground. I didn't see it. I thought that the money had been stolen by a thief.

Aunt returned and saw me crying. She asked me what I had done. I told her that we didn't [lit. do not] have the money to return home. She scolded me a lot (and) I started to cry again.

A woman came (and) showed us the money on the ground. We thanked her very much!

Exercise B
i) Vakadzi vakatibatsira nezuro.
ii) Ndichakunyorera tsamba.
iii) Achakuteererai iyezvino.
iv) Munondiziva here?
v) Muudze Francis nyaya.
   [NB. -udza becomes -udze]
vi) Kana munomutuka, Rita achaenda ku Baba vake.
vii) Ndimirirewo!

time and numbers

With all these, you can also manage by using the English words.

DAYS OF THE WEEK

Svondo	Sunday
Muvhuro	Monday
Chipiri	Tuesday
Chitatu	Wednesday
China	Thursday
Chishanu	Friday
Mugovera	Saturday

NUMBERS

potsi	one
piri	two
tatu	three
china	four
shanu	five
tanhatu	six
nomwe	seven
rusere	eight
pfumbamwe	nine
gumi	ten

Remember that when a number is being used as an adjective it has to agree with the class of the noun, e.g.:

maawa maviri	two hours
mavhiki matatu	three weeks
mombe gumi	ten (head of) cattle

15 "go/come and do ..."

-enda ku + **ndo** + verb stem
-uya ku + **zo** + verb stem

e.g.: *Ndaenda ku**ndo**tarisa.* I went to look.
*Uchauya ku**zo**dya* You (s.) will come to eat.

vocabulary

-tevera	follow	*musi we ...*	the day of ...
changamire	sir	*-akadii ...?*	how is ...?
-fanira	have to	*chipatara*	hospital
chichemo	small problem	*sori*	sorry
chibage	green maize (cobs)	*riri*	it is [Class 5]

exercises

A Translate into English
i) *Ndauya kuzokuonai.*
ii) *Vakaenda kundotenga chibage.*
iii) *Tichaenda kumunda kundosakura.*
iv) *Uya kuno kuzondiudza.*
v) *Handina kuuya kuzonwa mvura!*

B Translate into Shona
i) You (s.) must go to school to learn.
ii) We went to the Post Office to post the letters.
iii) They came home to sleep today.
iv) I came to Zimbabwe to work.

read and practise

1
Chipiri chinouya ndichaenda kuchipatara nemwana wangu kundoona Dr Muchawaya. Ndinofunga kuti mwana wangu achasara muchipatara. Ndichadzokera kumba pausiku. Ndichauya kuzozorora chete. Zuva rinotevera ndichaenda kuchipatara zvakare kundomuona.

2
(Musi weChina muhofisi yaVAMAPFUMO.)
VADUBE: *Gogogoi!*
VAMAPFUMO: *Pindai!*
VADUBE: *Masikati VaMapfumo.*
VAMAPFUMO: *Ah! Masikati VaDube. Maswera sei?*
VADUBE: *Ndaswera maswerawo.*
VAMAPFUMO: *Ndaswera. Rakadii basa mazuva ano?*
VADUBE: *Basa riri nani.*
VAMAPFUMO: *Zvakanaka.*

VaDube: *Changamire, ndine chichemo.*
VaMapfumo: *Chichemo chei?*
VaDube: *Ndinoda kuenda kumusha mangwana.*
VaMapfumo: *Nemhaka yei?*
VaDube: *Ndinoda kuenda kundoona mukadzi wangu. Ndatambira tsamba nhasi. Anorwara.*
VaMapfumo: *Ah sori. Anonzwa chii?*
VaDube: *Handizivi.*

VaMapfumo: *Hmmm. Zvakanaka. Munofanira kuenda kundomubatsira, asi ndinoda kukuonai muhofisi musi weMuvhuro. Tine basa rakawanda. Uyai kuzondiudza kuti akadii.*
VaDube: *Zvakanaka Changamire. Ndatenda chaizvo.*
VaMapfumo: *Fambai zvakanaka.*
VaDube: *Sarai zvakanaka. Tichaonana musi weMuvhuro.*

answers/translations

Exercise A
i) I came to see you (*pl.*).
ii) They went to buy maize cobs.
iii) We will go to the fields to weed.
iv) Come here and tell me.
v) I haven't come to drink water!

Exercise B
i) *Unofanira kuenda kuchikoro kundodzidza.*
ii) *Takaenda kuPost Office kundoposita tsamba.*
iii) *Vauya kumba kuzorara nhasi.*
iv) *Ndakauya kuZimbabwe kuzoita basa.*

Read and Practise – 1
Next Tuesday I will go to the hospital with my child to see Dr Muchawaya. I think that my child will stay in the hospital. I'll return home in the evening. I will come to rest only. The (next) following day I will go to the hospital again to see him.

Read and Practise – 2
(It is Thursday in Mr Mapfumo's office.)
Mr Dube: Knock-knock!
Mr Mapfumo: Come in!
Mr Dube: Good afternoon, Mr Mapfumo.
Mr Mapfumo: Ah. Good afternoon, Mr Dube. How are you?
Mr Dube: I'm fine. How are you?
Mr Mapfumo: I'm fine. How is work these days?
Mr Dube: Work is OK.
Mr Mapfumo: Good.

Mr Dube: Sir, I have a small problem.
Mr Mapfumo: What is it? [*lit.* What problem?]
Mr Dube: I want to go home tomorrow.
Mr Mapfumo: Why?
Mr Dube: I want to go and see my wife. I received a letter today. She is ill. [*lit.* What does she feel?]
Mr Mapfumo: Ah. Sorry. What's the matter?
Mr Dube: I don't know.
Mr Mapfumo: Hmmm. OK, you must go and help her. But I want to see you in the office on Monday. We have a lot of work. Come and tell me how she is.
Mr Dube: OK, Sir. Thank you very much.
Mr Mapfumo: Go well.
Mr Dube: Stay well. We will see each other on Monday.

16 "this" and "that"

The word comes after the noun.

NB.: The form used depends on the noun class of the object referred to.

Noun class	This/These	That/Those
1 (*s.*)	*uyu*	*uyo*
2 (*pl.*)	*ava*	*avo*
3 (*s.*)	*uyu*	*uyo*
4 (*pl.*)	*iyi*	*iyo*
5 (*s.*)	*iri*	*iro*
6 (*pl.*)	*aya*	*ayo*
7 (*s.*)	*ichi*	*icho*
8 (*pl.*)	*izvi*	*izvo*
9 (*s.*)	*iyi*	*iyo*
10 (*pl.*)	*idzi*	*idzo*
11 (*s.*)	*urwu*	*urwo*

e.g.:

Ndinoda bhuku iro.	I want that book.
Ndipeiwo mabhanana aya.	Please give me these bananas.
Vakaona murume uyo.	They saw that man.
Munoda zvinhu izvi here?	Do you want these things?

vocabulary

-kwanisa	be able	*banga*	knife
-fura	graze	*bhokisi*	box
-dzosa	return (something)	-sarudza	choose

exercises

A Translate into English

i) *Ndacheka chingwa nebanga iro.*

ii) *Handikwanisi kuita basa iri.*

iii) *Tora chinyoreso ichi kuchikoro.*

iv) *Ndakaenda nevasikana ava kumba kwavo.*

v) *Mwana uyu haagoni kuverenga.*

vi) *Vachadzosa mabhuku aya rini?*

B Translate into Shona

i) I will cook those tomatoes today.

ii) They heard this story yesterday.

iii) Those cattle are grazing.

iv) Where does this bus go?

v) She put that money in this box.

vi) We didn't choose those things.

answers/translations

Exercise A
i) I cut the bread with that knife.
ii) I cannot do this work.
iii) Take this pen to school.
iv) I went with those girls to their home.
v) This child is not able to read.
vi) When will they return these books?

Exercise B
i) *Ndichabika madomasi ayo nhasi.*
ii) *Vakanzwa nyaya iyi nezuro.*
iii) *Mombe idzo dziri kufura.*
iv) *Bhazi iri rinoenda kupi?*
v) *Akaisa mari iyo mubhokisi iri.*
vi) *Hatina kusarudza zvinhu izvo.*

money

When the currency was changed from pounds, shillings and pence to dollars and cents, the exchange rate was $2 = £1.
Thus, we find the following:

pondo	$2.00
chumi, dhora	$1.00
shereni	.10¢
susupensi	.05¢

e.g.:
pondo mbiri nechumi
$5.00

pondo shanu
$10.00

chumi nemashereni matatu
$1.30¢

17 negative future tense

ha + present pronoun + **cha** + verb stem

e.g.: **ha** + **ndi** + **cha** + ronga

handicharonga	I will not arrange
hauchazorora	you (*s.*) will not rest
haachatora	s/he will not take
hatichamira	we will not wait
hamuchatsvaga	you (*pl.*) will not seek
havachakanganwa	they will not forget

exercises

A Translate into English
i) *Havachabatsira musikana.*
ii) *Handichaisa mvura pamoto.*
iii) *Haachatambira tsamba nhasi.*
iv) *Vakadzi havachagara panze.*
v) *Murume haachadya chingwa nedovi.*
vi) *Hatichadzokera kuMutare zvakare.*
vii) *Hamuchamubvunza.*

B Translate into Shona
i) I will not go to the meeting tomorrow.
ii) Maybe the teacher won't teach the children.
iii) I will not go out of the house.
iv) You (*pl.*) won't arrive (in the) afternoon.
v) If you (*s.*) don't listen, you won't know.
vi) The boys won't find the money.
vii) We are tired so we won't accompany you to Guzha.

answers/translations

Exercise A
i) They will not help the girl.
ii) I won't put the water on the fire.
iii) S/he won't receive the letter today.
iv) The women will not sit outside.
v) The man will not eat bread with peanut butter.
vi) We won't go back to Mutare again.
vii) You (*pl.*) won't ask her/him.

Exercise B
i) *Handichaenda kumusangano mangwana.*
ii) *Pamwe Mudzidzisi haachadzidzisa vana.*
iii) *Handichabuda mumba.*
iv) *Hamuchasvika masikati.*
v) *Kana hauteereri, hauchaziva.*
vi) *Vakomana havachawana mari.*
vii) *Taneta saka hatichakuperekedza kwaGuzha.*

further reading practice (1)

vocabulary

Ndiani?	Who is it?	*bisikitsi*	biscuit (pl. *mabisikitsi*)
Ndini.	It's me.	*-kumbira*	ask for [something]
-tsvoda	kiss	*-mhanyira*	run to
-rega	stop	*-bikira*	for cooking
-tumwa	be sent	*huru*	big (adj. = *-kuru*)
-edza	try	*muenzi*	visitor (pl. *vaenzi*)
-tsvaira	sweep	*poto*	cooking pot/pan
hapana	(there is) nothing	*kabhodhi*	cupboard
mukoma	[older sibling, same sex as speaker]	*shangu*	shoe(s)

dialogue

(MAI *vari kutsvaira mumba.* JOJO *ari kutamba panze.*)

MAI: *Jojo!*

JOJO: *Mai?*

MAI: *Uri kuita chii?*

JOJO: *Hapana.*

MAI: *Uya kuno kuzondibatsira.*
(JOJO *anomhanya kuna*MAI*. Anodonha. Anotanga kuchema.*)

JOJO: *Mai! Ndadonha! Maiwe-ee!*
(MAI *vanobuda mumba.*)

MAI: *Usachema mwana wangu. Ndiri pano.* (*Vanobatsira* JOJO *kusimuka. Vanomutsvoda.* JOJO *anorega kuchema. Vanopinda mukitcheni.* MAI *vanomupa mvura.* TAPIWA *anosvika.*)

TAPIWA: *Gogogoi!*

MAI: *Ndiani?*

TAPIWA: *Ndini, Tapiwa.*

MAI: *Ah! Tapiwa. Pinda!*

TAPIWA: *Mangwanani Mai Jojo.*

MAI: *Mangwanani. Wamuka sei?*

TAPIWA: *Ndamuka mamukawo.*

MAI: *Ndamuka. Mai vako vari kupi?*

TAPIWA: *Vari kumba.*

MAI: *Vamuka sei?*

TAPIWA: *Vamuka zvakanaka. Ndatumwa navo.*

MAI: *Ho?*

TAPIWA: *Vanokumbira poto huru yokubikira mupunga.*

MAI: *Mune vaenzi here?*

TAPIWA: *Ehe. Mukoma Francis vauya neshamwari yavo.*

MAI: *Ah zvakanaka. Ko, Francis vari kusevenza here?*

TAPIWA: *Aiwa. Vari kuita* course *paChinhoyi.*

MAI: *Vane makore mangani?*

TAPIWA: *Vane 24.*

MAI: *Zvakanaka. Tsvaga poto mukabhodhi. Ndichaedza kuuya kwenyu masikati. Ndiri kutsvaira mumba iyezvino.* (TAPIWA *anotora poto.*)

TAPIWA: *Ndatenda Mai Jojo. Ndinoziva kuti Mai vanoda kukuonai.*
MAI: *Famba zvakanaka.* (TAPIWA *anoenda.*)
MAI: *Uri nani here, Jojo?*
JOJO: *Gumbo rangu rinorwadza.*

(*Anotanga kuchema zvakare.*)
MAI: *Nyarara. O. Pfeka shangu. Tichaenda tese kuzvitoro. Ndichakutengera mabisikitsi. Tapedza tichaenda kundoona Mai Tapiwa.*

translation

(MOTHER is sweeping in the house. JOJO is playing outside.)
MOTHER: Jojo!
JOJO: Mother?
MOTHER: What are you doing?
JOJO: Nothing
MOTHER: Come here and help me. (JOJO runs to MOTHER. He falls down. He starts to cry.)
JOJO: Mother! I fell down! Ow! (MOTHER comes out of the house.)
MOTHER: Don't cry my child. I am here. (She helps JOJO to stand up. She kisses him. JOJO stops crying. They enter the kitchen. MOTHER gives him some water. TAPIWA arrives.)
TAPIWA: Knock, knock!
MOTHER: Who is it?
TAPIWA: It's me, Tapiwa.
MOTHER: Ah! Tapiwa, come in!
TAPIWA: Good morning, Mai Jojo.
MOTHER: Good morning. How are you?
TAPIWA: I'm well. How are you?
MOTHER: I'm well. Where is your Mother?
TAPIWA: She is at home.
MOTHER: Is she OK?
TAPIWA: Yes. I was sent by her.

MOTHER: Oh?
TAPIWA: She wants (*lit.* is asking for) a big pot to cook rice.
MOTHER: Do you have visitors?
TAPIWA: Yes, brother Francis has come with his friend.
MOTHER: Good. Is he working?
TAPIWA: No, he is doing a course in Chinhoyi.
MOTHER: How old is he? (*lit.* How many years does he have?)
TAPIWA: He is 24. (*lit.* He has 24.)
MOTHER: OK. Look for the pot in the cupboard. I will try to come to your (place) this afternoon. I am sweeping (in) the house now. (TAPIWA takes the pot.)
TAPIWA: Thank you, Mai Jojo. I know that Mother wants to see you.
MOTHER: Go well. (TAPIWA goes.)
MOTHER: Are you OK Jojo?
JOJO: My leg is hurting. (He starts to cry again.)
MOTHER: Be quiet. Here. Put on (your) shoes. We will go together to the shops. I will buy you some biscuits. (When) we have finished we will go and see Mai Tapiwa.

further reading practice (2)

vocabulary

chenji	change	*denga*	roof
renki	bus rank	*-dyiwa*	be eaten
shinda	wool	*-bikwa*	be cooked
harisati	not yet (Class 5)	*nhumbi*	belongings, luggage
mumvuri	shade	*-darika*	cross [e.g. river, road]
-bvisa	remove	*toita sei?*	what should we do?
-ruka	knit	*imomo*	inside
yakadaro	like that	*izvozvi*	right now
handitika	isn't it	*baba munini*	uncle
apo	over there	*nhai*	really/honestly
-taurirana	talk together	*mberi*	in front
-rema	be heavy	*nenguva refu*	for a long time
kondakita	(bus) conductor	*mwanangu*	my child
mbeu	grain		[*mwana* + *wangu*]

dialogue

(*ESTHER naPATRICIA vanosvika parenki.*)

PATRICIA: *Kondakita, tiri kutsvaga mabhazi anoenda kuKadoma.*

KONDAKITA: *Ah! Rimwe raenda izvozvi.*

PATRICIA: *Toita sei?*

KONDAKITA: *Pamwe rimwe richauya masikati.*

PATRICIA: *Zvakanaka. Tichatenga magrosari tiri kumirira bhazi. Handei Esther.* (*Vanofamba pa-zvitoro. Vanotenga zvimwe zvavanoda. Vapedza vanodzokera kurenki. Vanoona kuti bhazi ravo harisati rasvika. Vanogara panze pachitoro.*)

ESTHER: *Ah! Kunopisa kuno. Ndinoda kugara mumumvuri. Ndatsva nezuva.*

PATRICIA: *Zvakanaka. Handei kumuti uyo.* (*Vanodarika mugwagwa vanogara mumumvuri womuti. ESTHER anobvisa shinda mubhegi. Anotanga kuruka.*)

PATRICIA: *Uri kuruka chii?*

ESTHER: *Ndiri kuruka juzi rababa munini wangu.*

PATRICIA: *Juzi rakanaka. Unogona.*

ESTHER: *Ndatenda.* (*Vakagara yakadaro nenguva refu.*)

PATRICIA: *Ah! Ranonoka handitika?*

ESTHER: *Bvunza Kondakita uyo kuti bhazi richauya rini.*

PATRICIA: (*Anosimuka.*) *Nhai Kondakita, bhazi redu riri kupiko?*

KONDAKITA: *Ambuya – riri kuuya manje manje.* (*Vari kutaurirana bhazi rasvika.*)

PATRICIA: *Esther! Kasira! Rasvika!* (*Vanokwira mubhazi.*)

ESTHER: *Pamusoroi Sekuru, pane nzvimbo here?*

SEKURU: *Aiwa. Tiri vatatu.*

ESTHER: *Ko apo – pane vanhu vangani?*

SEKURU: *Ndinofunga kuti vese vaburuka.*

ESTHER: *Zvakanaka. Patricia! Ndawana nzvimbo!* (*Vanogara vanogadzira nhumbi dzavo.*)

KONDAKITA: *Vasina matikiti! Ambuya – endai mberi. Vamwe vanoda kufambawo.*

AMBUYA: *Mwanangu – ndiri kutsvaga nzvimbo.*

KONDAKITA: *Garai pano ambuya. Hapana munhu.*

AMBUYA: *Zvakanaka mwanangu. Ndipeiwo nhumbi dzangu.*

KONDAKITA: *Oyi . . . maiwe-ee! Mune zvinhu zvakawanda. Mune chii imomo? Bhegi rinorema.*

AMBUYA: *Mune mbeu.*

KONDAKITA: *Ah – rinofanira kuenda padenga. Ali! Uya kuzotora bhegi raAmbuya!*

ALI: *Ripi? . . . Zvakanaka . . . ndichariisa padenga.*

AMBUYA: *Ndatenda mwanangu.*

KONDAKITA: *Vasina matikiti!* (*Anoona PATRICIA naESTHER.*) *Mune tikiti here?*

PATRICIA: *Maviri kuKadoma.*

KONDAKITA: (*Anonyora tikiti.*) *Ndipeiwo $15.*

ESTHER: *$15? Ah – yakawanda.* (*Anomupa $20.*)

KONDAKITA: (*Anoseka.*) *Mari inodyiwa neESAP . . . Oyi . . .* (*Anovapa tikiti.*) *Ndanyora chenji patikiti . . . vasina matikiti . . . !*

ESTHER: *Mmm. Ndine nzara.*

PATRICIA: *O. Tora pondo iyi. Pane mukadzi uyo anotengesa chibage. Nditengerewo chimwe. Tenga chimwe chako futi.*

ESTHER: *Ndatenda shamwari. Ambuya – chibage chakabikwa here?*

MUKADZI: *Ehe. Sarudzai chamunoda.* (*ESTHER anosarudza chibage. Anopa mari kuMUKADZI.*)

MUKADZI: *Munoda munyu here?*

ESTHER: *Ehe . . . Ndatenda.* (*Anoisa munyu pachibage chavo. Anodzosa munyu kuMUKADZI. ESTHER naPATRICIA vanotanga kudya chibage chavo.*)

PATRICIA: *Ah! Chibage ichi chinonaka!*

translation

(ESTHER and PATRICIA arrive at the rank.)

PATRICIA: Conductor, we are looking for the buses to Kadoma.

CONDUCTOR: Ah! One has just left.

PATRICIA: What should we do?

CONDUCTOR: Maybe one will come in the afternoon.

PATRICIA: OK. We will buy some groceries (while) we are waiting for the bus. Let's go Esther. (They walk around the shops. They buy some things that they want. When they have finished they return to the rank. They see that their bus has not yet arrived. They sit outside a shop.)

ESTHER: Ah! it is hot here. I want to sit in the shade. I'm being burnt by the sun.

PATRICIA: OK. Let's go to that tree. (They cross the road and sit in the shade of the tree. ESTHER takes some wool out of her bag. She starts to knit.)

PATRICIA: What are you knitting?

ESTHER: I'm knitting a jersey for my uncle.

PATRICIA: It's a nice jersey. You are clever [*lit.* able].

ESTHER: Thank you. (They sit [*lit.* are seated] like that for a long time.)

PATRICIA: Ah! It's late, isn't it? [Referring to the bus.]

ESTHER: Ask the conductor there when the bus will come [*lit.* that the bus will come when].

PATRICIA: (Standing up.) Really, Conductor, tell me, where is our bus?

CONDUCTOR: Lady – it's coming soon. (While they are talking the bus arrives.)

PATRICIA: Esther! hurry! It's arrived. (They board the bus.)

ESTHER: Excuse me mister, is there space here?

OLD MAN: No, there are three of us [*lit.* we are three].

ESTHER: What about there – how many people are there?

OLD MAN: I think that they all got off.

ESTHER: Good. Patricia! I've found a place! (They sit down and arrange their luggage.)

CONDUCTOR: Who doesn't have a ticket? [*lit.* Those without tickets.] Lady – move forward. Some (people) also want to move.

OLD WOMAN: My child, I'm looking for a space.

CONDUCTOR: Sit here lady. There's no one (here).

OLD WOMAN: OK, my child. Please give me my luggage.

CONDUCTOR: Here. Goodness! You have a lot of things. What is inside? The bag is heavy.

OLD WOMAN: It contains [has] some grain.

CONDUCTOR: Ah – it must go on the roof. Ali! come and take this lady's bag!

ALI: Where? . . . OK . . . I will put it on the roof.

OLD WOMAN: Thank you child.

CONDUCTOR: Who doesn't have a ticket? (He sees PATRICIA and ESTHER.) Do you have a ticket?

PATRICIA: Two to Kadoma.

CONDUCTOR: (He writes the ticket.) Please give me $15.

ESTHER: $15! Ah – it's a lot. (She gives him $20.)

CONDUCTOR: (Laughing.) Money is eaten by ESAP. Here . . . (He gives them the ticket.) I wrote the change on the ticket . . . Who doesn't have a ticket?

ESTHER: Mmm, I'm hungry.

PATRICIA: Here. Take this two dollar note. There is a woman over there selling maize cobs. Please buy me one. Buy one for yourself also.

ESTHER: Thank you (my) friend. Aunt – are the maize cobs cooked?

WOMAN: Yes. Choose (that) which you want. (ESTHER chooses the maize cobs. She gives the money to the WOMAN.)

WOMAN: Do you want some salt?

ESTHER: Yes . . . thank you. (She puts some salt on the cobs. She returns the salt to the WOMAN. ESTHER and PATRICIA start to eat their maize cobs.)

PATRICIA: Ah! This maize is delicious!

shona–english vocabulary

Verb stems and adjective stems are given.
A number in brackets indicates the noun class; (*sl.*) indicates slang.

a

aiwa	no
Amai (2)	mother
apo	over there
ambuya (2)	grandmother, older woman
ani?	who?
asi	but
awa (9)	hour

b

banga (5)	knife
Baba (2)	father
bapu (5)	lung
basa (5)	work
-bata	hold
-batsira	help
bendekete (5)	shoulder
bepanhau (5)	newspaper
bhanana (5)	banana
bhanya	good (*sl.*)
bhasikoro (5)	bicycle
bhazi (5)	bus
bhegi (5)	bag
bhengi (5)	bank
bhijana	a little (*sl.*)
bho	good, OK (*sl.*)
bhokisi (5)	box
bhora (5)	ball, soccer
-bhowa	be boring (*sl.*)
bhuku (5)	book
-bika	cook
-bikira	cook for, for cooking
-bikwa	be cooked
bisikitsi (5)	biscuit
-biwa	be stolen
bota (5)	porridge

-buda	emerge, go out
-buruka	disembark
-bva	come (away) from
bvi (5)	knee
-bvisa	remove
-bvunza	ask

c

chaizvo	a lot, very much
changamire (1)	sir
-cheka	cut
-chema	cry, weep
chenji (9)	change
-chera	scoop, dig
chete	only
chibage (7)	maize cob(s)
chichemo (7)	small problem
chidya (7)	thigh
chifuva (7)	chest
chigaro (7)	chair
chigunwe (7)	toe
chii?	what?
chikafu (7)	food
chikoro (7)	school
China (7)	Thursday
chingwa (7)	bread
chinhu (7)	thing
chinyoreso (7)	pen, pencil
chipatara (7)	hospital
Chipiri (7)	Tuesday
chipo (7)	gift
chiropa (7)	liver
chiRungu	English language
chisarai	goodbye
Chishanu (7)	Friday
chiShona	Shona language
Chitatu (7)	Wednesday

chiteshi (7)	station
chitima (7)	train
chitoro (7)	shop
chiuno (7)	waist
chokwadi (7)	truth
chumi (7)	dollar

d

-da	want, like
-darika	cross
daro daro	so-so (*sl.*)
denga (5)	roof
dhindindi	good time (*sl.*)
dhiringi (5)	(soft) drink
dhora (5)	dollar
-dhura	be expensive
-diki	little, small
domasi (5)	tomato
-donha	fall
doro (5)	beer
dovi (5)	peanut butter
dumbu (5)	stomach
-dya	eat
-dyiwa	be eaten
-dzidza	learn
-dzidzisa	teach
-dzoka	return here
-dzokera	return there
-dzosa	return [*something*]

e

-edza	try
ehe	yes (*sl.*)
emegensi	"emergency" taxi
ese	all
-enda	go

f

-fa	die
fafitera (5)	window
-famba	travel
-fanira	have to, must
-fara	be happy

-farira	be pleased, like to do something
firiji (9)	fridge
firimu (9)	film
fodya (9)	tobacco
-funga	think, hope
-fura	graze
futi	also

g

-gadzira	make, mend, tidy
-gara	sit, stay, live
garaji	garage
-geza	bathe
gogogoi!	knock, knock!
gokora (5)	elbow
-gona	be capable
gore (5)	year
gumbo (5)	leg
gumi	ten
-guta	be satisfied

h

hameno	I don't know (*sl.*)
handei	let's go
handitika	isn't it
hembe (9)	shirt
here?	[*forms a question when placed at the end of a statement*]
hobo	a lot (*sl.*)
hofisi (9)	office
hongu	yes
hove (9)	fish
huku (9)	chicken
huro (9)	throat

i

idzva	new
imba (9)	house
imbwa (9)	dog
imi	you (*pl.*)
ini	I

-isa	put
isu	we
-ita	do
ivo	they
iwe	you (s.)
iye	s/he
iyezvino	now
izvozvi	now

j

juzi (5)	jersey, sweater

k

kabhodi (9)	cupboard
kana	if, when
-kanganwa	forget
kanjani?	how are you? (sl.)
-kasira	hurry
kicheni (9)	kitchen
kiriniki (9)	clinic
ko	tell me
-kobvu	fat, thick
ku-	from, to
kudhara	long ago
-kumbira	ask for
kuna	to [name]
kune . . .	there is/are . . .
kuno	(to) here
kupi?	where?
kure	far
-kuru	big
kuswera zuro	day before yesterday
kuti	that (as in "I know that . . .")
kwa-	to, from
-kwanisa	be able
kwaziwai	hello [greeting]
kwete	no
-kwira	climb, mount

m

mafuta (6)	(cooking) oil
magetsi (6)	electricity
magrosari (6)	groceries
mai (1)	mother
maiwe-ee!	[exclamation of surprise]
makadii?	how are you?
makorokoto	congratulations
mangani?	how many?
mangwana (6)	tomorrow
mangwanani (6)	morning
manheru (6)	evening, night
manje manje	soon (sl.)
mari (9)	money
masikati (6)	afternoon
matumbu (6)	intestines
mazviita	thank you
mbatya (10)	clothes
mbayi-mbayi	by and by (sl.)
mberi (17)	in front
mbeu (9)	crop, grain
mbeva (9)	mouse
mbizi (9)	zebra
mbudzi (9)	goat
metsi	maths
-mhanya	run
-mhanyira	run to
mhino (9)	nose, nostrils
mhoroi	hello
mhuri (9)	family
-mira	stand, wait
-mirira	wait for
mombe (9)	cow, cattle
moto (3)	fire
motokari (9)	car
mu-	in
mubereki (1)	parent
mudhudhudhu (3)	motorbike
mudzidzisi (1)	teacher
muenzi (1)	guest, visitor
Mugovera (3)	Saturday
mugwagwa (3)	road
-muka	wake, get up
mukadzi (1)	woman, wife
mukaka (3)	milk

mukoma (1)	older same-sex sibling	*nemhaka yei?*	why?
mukomana (1)	boy	*-neta*	be tired
mumvuri (3)	shade	*nezuro* (1)	yesterday
munda (3)	field	*-ngani?*	how many?
munhu (1)	person	*nguva* (9)	time
munwe (3)	finger	*nhai*	really
munyu (3)	salt	*nhasi* (1)	today
mupunga (3)	rice	*nhema* (10)	lie, lies
muriwo (3)	vegetables	*nhumbi* (9)	baggage
muromo (3)	mouth	*no-*	with, and
murume (1)	man, husband	*nokuti*	because
musana (3)	back	*nomwe*	seven
musangano (3)	meeting	*-nonoka*	be late, delay
musha (3)	home (usually rural)	*-nwa*	drink
		nyama (9)	meat
mushi	fine (*sl.*)	*-nyarara*	be quiet
mushonga (3)	medicine	*nyaya* (9)	story
musi (3)	day	*-nyepa*	tell a lie
musikana (1)	girl	*-nyora*	write
musoro (3)	head	*-nyorera*	write to
mutambo (3)	party	*nyota* (9)	thirst
mutengesi (1)	shopkeeper	*nzara* (9)	hunger, drought
muti (3)	tree, medicine	*nzeve* (9)	ear
mutupo (3)	totem	*-nzi*	be called, named
Muvhuro (3)	Monday	*nzungu* (9)	groundnuts
mvura (9)	water, rain	*nzvimbo* (9)	place
mwana (1)	child	*-nzwa*	hear, feel, understand
-mwe	some, one		
mwedzi (3)	month		
mwoyo (3)	heart		

o

o (pl. *oyi*)	here, take this
-ona	see
-onana	see each other

n

-na	have
na-	with, and
-naka	be good
-nakidza	be interesting
nani	be OK, better
-naya	rain
ndatenda	thank you
ndege (9)	aeroplane
-ne	have
ne-	with, and
nei	by what, how

p

-pa	give
pa-	at, on
pamusoroi	excuse me
pamwe	maybe
pano	(at) here
panze	outside
pasi (5)	ground
-pedza	finish
-penga	be crazy, mad

-pera	be finished
-perekedza	accompany
-pfeka	wear, put on
pfumbamwe	nine
-pfupi	short
-pinda	enter
piri	two
piritsi (5)	tablet
-pisa	be hot, burn
-piwa	be given
-po	here
pondo (9)	two dollars ($2)
-posita	post
poto (9)	pot, pan
potsi	one
-puta	smoke
-puwa	be given

r

ranji (5)	lunch
-rara	sleep, lie down
-ratidza	show
-refu	tall, long
-rega	stop
rekodhi (9)	record
-rema	be heavy
renki (5)	bus rank
-ri	be
rini?	when?
rokwe (5)	dress, skirt
ronda (5)	wound
-ronga	arrange
-roora	marry (male)
-roorwa	be married (female)
ropa (5)	blood
-ruka	knit, plait
ruoko (11)	arm, hand
rusere	eight
-rwadza	be sore, hurt
-rwara	be ill
rwizi (11)	river

s

sadza (5)	[staple maize food]
saka	so, therefore
-sakura	weed
-sanganana	meet each other
-sara	stay behind
-sarudza	choose
sei?	how?
-seka	laugh
sekuru (1)	grandfather, old man
-sevenza	work
shamwari (9)	friend
shangu (9)	shoe
shanu	five
-shanyira	visit
-shaya	lack, fail to find
shereni (5)	10 cents
shinda (9)	wool, thread
shuga (9)	sugar
-simba	be strong
-simuka	stand up
sitambi (9)	stamp
sitereki	a lot (sl.)
-siya	leave
skhorokhoro	very old car (sl.)
sori	sorry
susupensi (5)	5 cents
-svika	arrive
svondo (5)	Sunday, week
-swera	spend the day

t

-takura	carry
-tamba	play, dance
-tambira	receive, accept
-tanga	start, be first
tanhatu	six
-tarisa	look at
tatu	three
taundi (5)	town
-taura	talk, speak
-taurirana	talk together
tayim tayim	soon (sl.)

-teerera	listen to
-tema	black, dark
-tenda	thank
-tenga	buy
-tengera	buy for
-tengesa	sell
tese	together
-tete	thin
-tevera	follow
-ti	say, tell
tii (9)	tea
tikiti (5)	ticket
-tonhora	be cold
-tora	take
tsamba (9)	letter
tsoka (9)	foot
tsotsi (5)	thief (sl.)
-tsva	burn
-tsvaga	look for
-tsvaira	sweep
-tsvoda	kiss
-tsvuku	red, pale
-tuka	scold
-tuma	send
-tumwa	be sent

u

-udza	tell
upenyu (14)	life
upfu (14)	mealie-meal
usiku (14)	night
-uya	come

v

-vaka	build
Vatete (2)	aunt
-verenga	count, read
-vhara	close
vhiki (5)	week
vhudzi (5)	hair
-vhura	open
-viri	two

w

-wacha	wash (clothes)
wachi (9)	watch
-wana	find
-wanda	a lot
-wo	also, please

y

yakadaro	like that
-yeuka	remember

z

-zhinji	a lot
zino (5)	tooth
ziso (5)	eye
-ziva	know
-zorora	rest
zororo (5)	holiday
zuva (5)	day, sun
zvakanaka	it's good, OK
zvakare	again

english–shona vocabulary

Verb stems and adjective stems are given.
A number in brackets indicates the noun class; (sl.) indicates slang.

a

able, be	-kwanisa, -gona
accept	-tambira
accompany	-perekedza
aeroplane	ndege (9)
afternoon	masikati (6)
again	zvakare
all	ese
also	-wo, futi
and	ne-, no-, na-
arm	ruoko (11)
arrange	-ronga
arrive	-svika
ask	-bvunza
ask for	-kumbira
at	pa-
aunt	vatete (2)

b

back	musana (3)
bag	bhegi (5)
baggage	nhumbi (9)
ball	bhora (5)
banana	bhanana (5)
bank	bhengi (5)
bathe	-geza
be	-ri
because	nokuti
beer	doro (5)
bicycle	bhasikoro (5)
big	kuru
biscuit	bisikitsi (5)
black	-tema
blood	ropa (5)
boring, be (troublesome)	-bhowa (sl.)
book	bhuku (5)

box	bhokisi (5)
boy	mukomana (1)
bread	chingwa (7)
build	-vaka
burn	-pisa, -tsva
bus	bhazi (5)
bus rank	renki (5)
but	asi
buy for	-tengera
buy	-tenga

c

called, be	-nzi
capable, be	-gona, -kwanisa
car	motokari (9)
car, "old banger"	skhorokhoro (sl.)
carry	-takura
cattle	mombe (9)
chair	chigaro (7)
change	chenji (9)
chest	chifuva (7)
chicken	huku (9)
child	mwana (1)
choose	-sarudza
climb	-kwira
clinic	kiriniki (9)
clothes	mbatya (10)
cold, be	-tonhora
come	-uya
come (away) from	-bva
congratulations	makorokoto
cook for	-bikira
cook	-bika
cooked, be	-bikwa
cooking oil	mafuta (6)
count	-verenga
cow	mombe (9)

crazy, be	-penga
crop	mbeu (9)
cross	-darika
cry	-chema
cupboard	kabhodi (9)
cut	-cheka

d

dance	-tamba
dark	-tema
day	musi (3), zuva (5)
day before yesterday	kuswera zuro
die	-fa
dig	-chera
disembark	-buruka
do	-ita
dog	imbwa (9)
dollar	chumi (7), dhora (5)
dress	rokwe (5)
drink	-nwa
drink, soft	dhiringi (5)
drought	nzara (9)

e

ear	nzeve (9)
eat	-dya
eaten, be	-dyiwa
eight	rusere
elbow	gokora (5)
electricity	magetsi (6)
"emergency" taxi	emegensi
English language	chiRungu
enter	-pinda
evening	manheru (6)
exit	-buda
expensive, be	-dhura
excuse me	pamusoroi
eye	ziso (5)

f

fail to find	-shaya
fall	-donha

family	mhuri (9)
far	kure
fat	-kobvu
feel	-nzwa
field	munda (3)
film	firimu (9)
find	-wana
fine	mushi (sl.)
finger	munwe (3)
finish	-pedza
finished, be	-pera
fire	moto (3)
first, be	-tanga
fish	hove (9)
five	shanu
five cents	susupensi (5)
follow	-tevera
food	chikafu (7)
foot	tsoka (9)
forget	-kanganwa
Friday	Chishanu (7)
fridge	firiji (9)
friend	shamwari (9)
from	ku-, kwa-
front, in front	mberi (17)

g

get up	-muka
gift	chipo (7)
girl	musikana (1)
give	-pa
given, be	-puwa, -piwa
go	-enda
go, let's	handei
go out	-buda
goat	mbudzi (9)
good	bhanya (sl.), bho (sl.)
good, be	-naka
good (it is)	zvakanaka
good time	dhindhindi (sl.)
goodbye	chisarai
gosh!	maiwe-ee!
gossip about	-reva

grain	*mbeu* (9)
grandfather	*sekuru* (1)
grandmother	*ambuya* (2)
graze	*-fura*
grinding mill	*chigayo* (7)
groceries	*magrosari* (6)
ground	*pasi* (16)
groundnuts	*nzungu* (9)
guest	*muenzi* (1)

h

hair	*vhudzi* (5)
hand	*ruoko* (11)
happy, be	*-fara*
have	*-na, -ne*
have to	*-fanira*
he	*iye*
head	*musoro* (3)
hear	*-nzwa*
heart	*mwoyo* (3)
heavy, be	*-rema*
hello	*kwaziwai, mhoroi*
help	*-batsira*
here	*pano, -po, kuno*
here, take this	*o, oyi*
hold	*-bata*
holiday	*zororo* (5)
home (rural)	*musha* (3)
hope	*-funga*
hospital	*chipatara* (7)
hot, be	*-pisa*
hour	*awa* (9)
house	*imba* (9)
how?	*sei?, nei?*
how many?	*-ngani?*
how are you?	*makadii?,* *kanjani?* (*sl.*)
how much (does it cost)?	*imarii?*
hunger	*nzara* (9)
hurry	*-kasira*
hurt	*-rwadza*
husband	*murume* (1)

i

I	*ini*
if	*kana*
ill, be	*-rwara*
in	*mu-*
intestines	*matumbu* (6)
isn't it	*handitika*

j

jersey	*juzi* (5)

k

kiss	*-tsvoda*
kitchen	*kicheni* (9)
knee	*bvi* (5)
knife	*banga* (5)
knit	*-ruka*
knock, knock!	*gogogoi!*
know	*-ziva*

l

lack	*-shaya*
late, be	*-nonoka*
laugh	*-seka*
learn	*-dzidza*
leave	*-siya*
leg	*gumbo* (5)
let's go	*handei*
letter	*tsamba* (9)
lie down	*-rara*
lie, tell a lie	*-nyepa*
lies	*nhema* (10)
life	*upenyu* (14)
like that	*yakadaro*
like, love	*-da*
like (to do something)	*-farira*
listen to	*-teerera*
little (size)	*-diki*
little (amount)	*bhijana* (*sl.*)
live	*-gara*
liver	*chiropa* (7)
long	*-refu*
long ago	*kudhara*

look at	*-tarisa*
look for	*-tsvaga*
lot, a lot	*-zhinji, -wanda, chaizvo, hobo* (sl.) *sitereki* (sl.)
lunch	*ranji* (5)
lung	*bapu* (5)

m

mad, be	*-penga*
maize cob(s)	*chibage* (7)
make	*-gadzira*
man	*murume* (1)
marry	*-roora* (male), *-roorwa* (female)
maths	*metsi*
maybe	*pamwe*
mealie-meal	*upfu* (14)
meat	*nyama* (9)
medicine	*mushonga* (3), *muti* (3)
meet each other	*-sanganana*
meeting	*musangano* (3)
mend	*-gadzira*
milk	*mukaka* (3)
Monday	*Muvhuro* (3)
money	*mari* (9)
month	*mwedzi* (3)
morning	*mangwanani* (6)
mother	*mai* (1), *amai* (1)
motorbike	*mudhudhudhu* (3)
mount	*-kwira*
mouse	*mbeva* (9)
mouth	*muromo* (3)
must	*-fanira*

n

named, be	*-nzi*
new	*idzva*
newspaper	*bepanhau* (5)
night	*usiku* (14)
no	*aiwa, kwete*
nose, nostrils	*mhino* (9)
now	*iyezvino, izvozvi, manje-manje* (sl.)

o

office	*hofisi* (9)
oil	*mafuta* (6)
OK, be OK	*nani, zvakanaka, bho* (sl.)
on	*pa-*
one	*potsi, -mwe*
only	*chete*
open	*-vhura*
outside	*panze*

p

pale	*-tsvuku*
pan	*poto* (9)
parent	*mubereki* (1)
party	*mutambo* (3)
peanut butter	*dovi* (5)
pen, pencil	*chinyoreso* (7)
person	*munhu* (1)
place	*nzvimbo* (9)
plait	*-ruka*
play	*-tamba*
please	*-wo*
pleased, be	*-farira*
porridge	*bota* (5)
post	*-posita*
pot	*poto* (9)
problem (small)	*chichemo* (7)
put on	*-pfeka*
put	*-isa*

q

quiet, be	*-nyarara*

r

rain	*mvura* (9)
rain	*-naya*
rank (bus)	*renki* (5)
read	*-verenga*
really?	*nhai?*
receive	*-tambira*
record	*rekodhi* (9)
red	*-tsvuku*
remember	*-yeuka*

remove	*-bvisa*
rest	*-zorora*
return (something)	*-dzosa*
return there	*-dzokera*
return here	*-dzoka*
rice	*mupunga* (3)
river	*rwizi* (11)
road	*mugwagwa* (3)
roof	*denga* (5)
run	*-mhanya*
run to	*-mhanyira*

s

salt	*munyu* (3)
satisfied, be	*-guta*
Saturday	*Mugovera* (3)
say	*-ti*
school	*chikoro* (7)
scold	*-tuka*
scoop (a liquid)	*-chera*
see	*-ona*
see each other	*-onana*
sell	*-tengesa*
send	*-tuma*
sent, be	*-tumwa*
seven	*nomwe*
shade	*mumvuri* (3)
she	*iye*
shirt	*hembe* (9)
shoe	*shangu* (9)
Shona language	*chiShona*
shop	*chitoro* (7)
shopkeeper	*mutengesi* (1)
short	*-pfupi*
shoulder	*bendekete* (5)
show	*-ratidza*
sibling (older, same sex)	*mukoma* (1)
sir	*changamire* (1)
sit	*-gara*
six	*tanhatu*
skirt	*rokwe* (5)
sleep	*-rara*
small	*-diki*

smoke	*-puta*
so	*saka*
soccer	*bhora* (5)
some	*-mwe*
soon	*manje manje* (sl.)
sore, be	*-rwadza*
so-so	*daro daro* (sl.)
sorry	*sori*
speak	*-taura*
spend the day	*-swera*
stamp	*sitambi* (9)
stand	*-mira*
stand up	*-simuka*
start	*-tanga*
station	*chiteshi* (7)
stay behind	*-sara*
stay	*-gara*
stolen, be	*-biwa*
stomach	*dumbu* (5)
stop	*-rega*
story	*nyaya* (9)
strong, be	*-simba*
sugar	*shuga* (9)
Sunday	*Svondo* (5)
sweater	*juzi* (5)
sweep	*-tsvaira*

t

tablet	*piritsi* (5)
take	*-tora*
talk together	*-taurirana*
talk	*-taura*
tall	*-refu*
tea	*tii* (9)
teach	*-dzidzisa*
teacher	*muzidzisi* (1)
tell	*-ti, -udza*
tell me	*ko*
ten	*gumi*
ten cents	*shereni* (5)
thank	*-tenda*
thank you	*ndatenda, mazviita*
that	*kuti*
there	*apo*

therefore	*saka*	very much	*chaizvo*
there is/are ...	*kune ...*	visit	*-shanyira*
they	*ivo*	visitor	*muenzi* (1)
thick	*-kobvu*		
thief	*tsotsi* (5) (*sl.*)	**w**	
thigh	*chidya* (7)	waist	*chiuno* (7)
thin	*-tete*	wait for	*-mirira*
thing	*chinhu* (7)	wait	*-mira*
think	*-funga*	wake up	*-muka*
thirst	*nyota* (9)	want	*-da*
thread	*shinda* (9)	wash (clothes)	*-wacha*
three	*tatu*	watch	*wachi* (9)
throat	*huro* (9)	water	*mvura* (9)
Thursday	*China* (7)	we	*isu*
ticket	*tikiti* (5)	wear	*-pfeka*
tidy	*-gadzira*	Wednesday	*Chitatu* (7)
time	*nguva* (9)	weed	*-sakura*
tired, be	*-neta*	week	*vhiki* (5), *svondo* (5)
to	*ku-, kwa-*	weep	*-chema*
to ...		what?	*chii?*
[person's name]	*kuna ...*	when?	*rini?*
tobacco	*fodya* (9)	where?	*kupi?*
today	*nhasi* (1)	who?	*ani?*
toe	*chigunwe* (7)	why?	*sei?, nemhaka yei?*
together	*tese*	wife	*mukadzi* (1)
tomato	*domasi* (5)	window	*fafitera* (5)
tomorrow	*mangwana* (6)	with	*na-, ne-, no-*
tooth	*zino* (5)	woman	*mukadzi* (1)
totem	*mutupo* (3)	wool	*shinda* (9)
town	*taundi* (5)	work	*-sevenza*
train	*chitima* (7)	work	*basa* (5)
travel	*-famba*	wound	*ronda* (5)
tree	*muti* (3)	write	*-nyora*
truth	*chokwadi* (7)	write to	*-nyorera*
try	*-edza*		
Tuesday	*Chipiri* (7)	**y**	
two dollars	*pondo*	year	*gore* (5)
two	*-viri*	yes	*ehe, hongu*
		yesterday	*nezuro* (1)
u		you (*pl.*)	*imi*
understand	*-nzwa*	you (*s.*)	*iwe*
v		**z**	
vegetables	*muriwo* (3)	zebra	*mbizi* (9)

bibliography

The following reference books may be useful while learning Shona:

FORTUNE, G. *Elements of Shona* (Harare: Longmans, 2nd. edn, 1967).
DALE, D. *Duramazwi: A Shona-English Dictionary* (Gweru: Mambo Press, 1981).
DALE, D. *A Basic English-Shona Dictionary* (Gweru: Mambo Press, 1975).
DALE, D. *Shona Mini Companion* (Gweru: Mambo Press, 1981).
DALE, D. *Shona Companion* (Gweru: Mambo Press, 1972).
FIVAZ, D. and RATZLAFF, J. *Shona Language Lessons* (Salisbury: Word of Life Publications in Association with the Rhodesia Literature Bureau, 1969).
HANNAN, M. *Standard Shona Dictionary* (Harare: College Press in conjunction with the Literature Bureau, rev. edn. 1984).

For further reading practice, you could try the following:

KUWANA, J. *ChiShona Danho 1* (Harare: Longman, 1984).
This is the first series in a Shona language course aimed at first-language primary-school children.

CARTER, H. and KAHARI, G. P. *Kuverenga Chishona* (London: School of Oriental and African Studies, 1986).
Two books, with a cassette, providing detailed information on grammatical structures, with reading practice.

MUNJANJA, A. M. *Everyday Shona and English* (Harare: Write and Read Publications, 1987).

for your notes

for your notes

for your notes

for your notes